4 Libros e[illegible]

Cómo ser Exitoso Aunque Ahora Estés en un mal Momento

Aprende Todo lo que Necesitas Saber sobre Psicología, Filosofía y PNL para Convertirte en un Poderoso Seductor

Roberto de los Bosques

Para cualquier cuestión
nosololibrosllc@gmail.com.

Aprende Cómo Controlar la Ansiedad y Superar la Depresión con los 4 Pasos de la Psicología del Éxito: Salud y bienestar invencibles desde hoy con el método AERP (psicología positiva)

+

Estoicismo Cotidiano Moderno : Cómo ser Feliz Gracias a la Filosofía Estoica

+

Secretos de la Programación Neurolingüística : PNL, Coaching, Inteligencia Emocional, Influencia, Persuasión e Hipnosis Para las Ventas

+

El Libro Negro de la Seducción : 17 Trucos Psicológicos Para Hablar, Conquistar, Enamorar, Manipular y Dominar a Hombres y Mujeres + Frases para Ligar

Índice

Aprende Cómo Controlar la Ansiedad y Superar la Depresión con los 4 Pasos de la Psicología del Éxito

Salud y bienestar invencibles desde hoy con el método AERP (psicología positiva)

Roberto de los Bosques

Introducción

No tenía ganas de levantarme de la cama. Lo hacía para ir al baño, y volvía a meterme entre las sábanas. Las persianas bajadas. No quería ver a nadie ni hacer nada.

Ni hablar, ni salir.

Nada.

Tardé mucho en darme cuenta de problema, y de la solución.

Y saber no es suficiente.

Te aviso antes de continuar: nadie excepto tú puede salvarte.

El conocimiento sin implementació no sirve.

De modo que, si pensabas leer e libro, pero no ponerlo en práctica. Pues que sepas que para mí ere como el que va a la playa y no s mete en el agua.

Peor aún: como ir a un restaurante y no comer.

Como pagar la cuota de un gimnasio y no asistir.

Cada quien sus razones tendrá.

Quizás ahora no te atrevas a cambiar, a tomar algunas duras decisiones, pero conocer esta metodología te dará la posibilidad de, en cualquier momento, dejar atrás a ansiedad y la depresión.

Para ser más correctos, como decimos en el título, lo cierto es que la ansiedad siempre puede estar ahí, siempre puede volver a aparecer, aunque sea por unos segundos; la cuestión es controlarla, en vez de que te controle a ti.

Vencerla es eso: dejar de ser su esclavo para convertirte en dueño de tu vida.

La depresión sí que la puedes abandonarla de una vez por todas.

Esto es porque, como sucede en términos económicos, la depresión implica una duración en el tiempo es un fenómeno prolongado.

Tú puedes estar triste, que siguiendo la analogía, sería como un momento de descenso de las actividades económicas, lo que conocemos como recesión.

Si esa tristeza es prolongada durante meses aparece lo que llamamos depresión. Al igual que si una recesión dura el suficiente tiempo es considerada una crisis.

La comparación no da más de sí.

La definición de depresión también tiene una visión biologicista que dice: es una enfermedad que requiere tratamiento porque el sistema neuronal no funciona como debería, tómate estas pastillas toda la vida y solucionado.

Hay casos y casos.

Pero no te creas los argumentos neoliberales ni los socialistas respecto a estos temas.

Ambos usan la medicina como arma de poder para controlar a la población disidente a través de drogas y encierros.

Pero este no es un libro sobre política. Aunque sí tiene una intención política: que seas libre.

Radicalmente libre.

Y para eso debía refutar ese mito que gran parte de la población cree respecto a la veracidad de que los dicen los así mismos llamados "científicos".

Pocas veces apellidados "independientes".

Quien quiera saber más sobre este tema puede leer ***Némesis Médica***, de Iván Illich. O varios de los libros de Michael Foucault, como ***Historia de la locura en la época clásica*** y

Vigilar y castigar. Nacimiento de la prisión.

Este es un manual práctico, una guía paso a paso, sin demasiadas filosofadas.

Lo más valioso que tenemos es el tiempo, ni tú y yo queremos perderlo.

La tesis central de esta obra aunque parezca raro después de lo que acabo de mencionar sobre lo "científicos", está respaldada por la Psicología.

Puede que sea un argumento psicologicista, sí.

Por ello anticipo a decir la condiciones para que el supuesto se dé: no niego que las condiciones sociales son importantes.

No todo es psique.

Este reto de seguir los cuatro pasos de la psicología del éxito será diferente para ti según dónde estés.

No puedo hacer nada para evitarlo. Unos tendrán que esforzase más que otros. No es lo mismo estar en el desierto que en el oasis.

Hechas ya las explicaciones, vamos con la idea: la causa principal de la ansiedad y la depresión es el locus de control externo.

Locus de control es un concepto psicológico muy sencillo y que resulta clave para entender todo.

Tú puedes tener locus de control externo o locus de control interno, el primero significa que consideras que lo que te sucede es causado por el exterior, y el segundo que tú eres el causante.

Esto es independiente de las condiciones subjetivas.

Una misma persona puede esta
encerrada en la cárcel y considera
que está ahí porque otros lo ha
metido o porque él mismo, con s
comportamiento, ha provocado l
situación.

O, puede haber sido abandonad
por la pareja. O multado por l
policía. O echado de su trabajo. S
piensa que las causas son externas
nada (bueno) podrá hacer par
evitarlo en el futuro, o eso pensará.

La diferencia entre locus de contro
externo e interno lo es todo.

El objetivo de este libro es qu
gracias a los pasos que veremos
continuación pases de un locus d
control externo a un locus de contr
interno, o reforzar este último e
caso de que ya lo tengas.

Igualmente es un diálogo sobre l
libertad, un alegato a favor de viv
la vida que quieras, y no la qu
otros decidieron por ti.

Me molesta ver tanta gente esclavizada por falta de conocimientos. Y aquí está mi aporte.

Te garantizo que si sigues este paso a paso tu autoestima mejorará.

Regalo

Te vamos a dar otro libro en format electrónico (*ebook*). Lo puedes descarga haciendo con el código QR:

Y también hemos creado un **canal e** **Telegram**:

De este modo podremos informarte sobre novedades y otros temas de tu interés.

Sin perder más tiempo, vamos a
entrar a ver el paso a paso de
método AERP de la psicología de
éxito.

Bienvenido a mi mundo, espero qu
te sirva, llévate lo que quieras.

Empezaremos aclarando lo
conceptos, aunque si ya tiene
claras las definiciones puede
saltarte esa parte e ir directament
al paso a paso, no es recomendable
Te tomará solo unos minutos pensa
en algunas de las palabras má
poderosas de la vida.

¿Qué es, realmente, la salud y el bienestar? Lo que nadie tu cuenta

Vivimos en el mito del estado del bienestar que entiende la salud como adaptación laboral, como productividad. Es MENTIRA, son indicadores equivocados, ¿Por qué no medir en risas, abrazos y besos? En tu desarrollo. ¿Cuánto estás disfrutando cada día? ¿Qué pensaría el niño que eras de en quién te has convertido?

Mi teoría de la salud y del bienestar: **la libertad creativa insurrecta es la única forma de vida saludable**, el único bienestar posible es de la conciencia tranquila.

Antes de empezar con este manual necesitas tener claro el significado de las palabras centrales. ¿Qué es eso de salud y el bienestar? Lo cierto es que han sido conceptos cambiantes a lo largo de la historia y según la geografía.

En el mundo occidental contemporáneo en el que vivimos llaman salud a la ausencia de enfermedades que te impidan ser productivo. Y bienestar a sentarte en un sofá mientras que un gigantesco Estado y un puñado de aseguradoras te han vendido seguridad.

Si vas a trabajar o estudiar cada mañana temprano, despertándote incluso antes de que salga el sol dirán que gozas de salud.

Si, en cambio pasas la noche en fiesta y no vas a currar, dirán que estás enfermo.

Muchos piensan que tiene bienestar aquel que vive en una casa grande rodeado de muros y cámaras. Otros solo se sienten bien (eso es bienestar: sentirse bien) cuando viajan sin más compañía que una mochila lo más ligera posible.

Si lees un libro de historia oficial, como con la que adoctrinan en el sistema educativo estatal, encontrarás que hemos llegamos al sumun de la civilización: el estado de bienestar.

¿Qué es eso? Pues lo definen como un periodo de paz en el que, gracias a nuestras contribuciones al Estado y a la benevolencia de los políticos, gozamos maravillas como el "seguro de desempleo", "la sanidad pública" y "la educación universal".

En otras palabras: el Estado se encarga de tu vida.

Pero ¿eso no te convierte en esclavo?

Nadie te dice la verdad sobre la salud y el bienestar. Excepto yo: el origen de todo es la libertad. Si renuncias a ser libre, nunca podrás tener salud y bienestar. Tendrás esa falsa sensación de seguridad que tanto le gusta vender a los políticos de turno.

Pero, que no te engañen, ¿cómo vas a estar bien sin poder construir tu camino? Bajo el totalitarismo no puede haber ni salud ni bienestar, no importa lo que digan los libros de texto.

Hazte las preguntas clave ahora ¿cómo estás disfrutando tu presente? ¿Qué te impide gozar de mejor salud y más bienestar? ¿Por qué todavía no has logrado ser como te gustaría?

Tengo una hipótesis: no alcanzamos nuestro potencial porque nadie quiere que lo hagamos. No hay nada tan maravillosamente peligroso como una persona libre.

El Estado no quiere individuos libres quiere esclavos. Por eso te envenena cuerpo, mente y alma con alimentos-basura, contaminación, medios de desinformación, hospitales, escuelas y universidades.

Puedo sonar radical, extremista, pero —en realidad— lo único excesivo son los ataques a la libertad. Y contra eso es que nos revelamos con una salud invencible, reapropiándonos de nuestras vidas con el método AERP.

La salud y el bienestar solo son reales cuando tienes autonomía, cuando tu pensamiento es tuyo y eres capaz de ir más allá de lo que los caminos trillados dejan ver. Cuando creas eres libre.

Tu vida es una obra de arte, vívela como tal, eres el único responsable.

¿Qué es la psicologí positiva y la psicología de éxito? ¿Cómo aplicarlas er tu vida?

Al hablar de psicología positiv hacemos alusión tanto al positivism de Augusto Compte, sociólog francés decimonónico; entendid como el método experimental conocer el entorno a través de l evidencia empírica; como en e sentido de que, centrándonos en l positivo, lo mejor, lo qu controlamos, lo que podemos hace crecer y vivir mejor.

Cuando hablamos de psicología de éxito hay varios libros que puede venirte a la cabeza, uno de los má interesantes es **el que public Mario Luna en 2015**; est contiene algunos principio universales siempre vigentes aunque, a diferencia de este libro, está centrado en el ligoteo. Aquí, en cambio, hablamos sobre controlar la ansiedad y superar la depresión.

Si tu interés es saber más sobre relaciones, además de recomendarte la obra de Mario Luna (tiene más libros además del mencionado), toma nota: ***De beta a alfa***, un manual práctico que te puede servir seas hombre o mujer, escrito por Seducción Científica.

Ahora bien, antes de continuar, me encanta destruir mitos y aunque te acabo de recomendar algunos libros sobre el tema, tengo que compartirte una verdad incómoda: el ligue no existe.

Eso de que según qué hagas, qué palabras elijas o qué lenguaje corporal muestres en un momento dado, vas a generar o no una relación, es, simplemente: mentira.

Muchos autollamados seductores se han hecho famosos por grabarse "ligando" por la calle. Y luego han vendido (y venden) su supuesta metodología infalible. Voy a decírtelo claramente: son atractivos por quienes son, su posición social y su seguridad; no por seguir cierto guion.

La psicología del éxito tiene un mensaje claro: tienes que buscar tu mejora constante. La manida metáfora es muy cierta: no busques mariposas, cuida tu jardín.

Las flores no ligan con las abejas: florecen y el resto sigue solo. Así es la vida.

Psicología positiva y psicología del éxito es centrarte en lo que puedes controlar, tus pensamientos, que luego se convierten en emociones y acciones, para crear la mejor versión de ti.

¿Cómo? Siguiendo el método AERP.

AERP es la base

¿Cuál es el secreto del éxit (entendido como salud bienestar)?

El locus de control.

Ya vamos con el paso a paso, per antes quiero dejar clara cuál es l tesis de este libro. ¿Por qué esto compartiendo esta informació contigo? Pues porque tengo l necesidad de hacerlo ya que nadi más lo ha hecho.

Existen infinitos libros sobre dieta milagrosas y hábitos astronauta para hacerte millonario de la noch a la mañana. Pero no es así. Está perdiéndose en consecuencias, si señalar la causa de todo éxito.

Lo primero que debes tener clar para iniciar el camino de superació personal es que eres el únic responsable de tu vida.

Si ahora no vives como quieres es porque no has hecho lo que necesitas hacer.

Puede ser cierto que hay variables que, aparentemente, están fuera de tu control. Pero simplemente no te interesan. Olvídate de aquello que no puedes controlar. Céntrate en tus pensamientos, domínalos y pon a tu mente a trabajar para ti.

En este libro aprenderás cómo. Es algo difícil porque nuestro cerebro reptiliano y primitivo está acostumbrado a un entorno mucho más hostil, donde lograr comida dulce o sexo casual era algo inusual. Oportunidades que debía aprovechar siempre para su supervivencia.

En cambio, en nuestro tiempo los alimentos y los seres humanos dispuestos a pasar el día disfrutando sus cuerpos son infinitos. De hecho, hay un excedente, hay comida que nadie come y genitales que nadie toca.

Tu trabajo es controlar esos instintos que te llevan a priorizar esos dos recursos (comestibles y cuerpos) y centrarte en la construcción de tu propósito. En crear un mundo mejor mediante tus acciones, aportando valor.

Ten cuidado. No es fácil.

Quizás ahora te sientas con mucha motivación, quieres cambiar tu realidad y estás dispuesto a pagar el precio.

Empiezas a ir al gimnasio, leer más y mejores libros, desarrollar tu talentos y eres capaz de invertir tu tiempo o tu dinero, renunciar placeres inmediatos (la famos gratificación instantánea) a cambio de posibles beneficios en el futuro.

Enhorabuena. Pero, te aviso empezar no es suficiente. Lo más complicado es mantenerse cuando empiezas a sentir el éxito.

Es lo que llamo el síndrome del Rock Star. En cuanto sientes los resultados y logras tus primeros objetivos, te relajas y te entregas a la lujuria. Lo celebras. Y pierdes en el control.

Esto puede parecer raro, pero es así. Te pondré ejemplos: ahora pongamos que estás gordo, es evidente que necesitas hacer ejercicio. La motivación puede estar muy alta porque sabes que estás en una situación peligrosa para tu salud.

Un año, dos, tres o los que sean, consigues buenos hábitos alimenticios y de ejercicio, mejoras tu estado. Ya no estás gordo. ¿Seguirás entrenando con la misma motivación? ¿O pensarás que ya no te hace falta?

Lo mismo pasa con el ámbito financiero. Estás más pobre que una monja, hasta tienes deudas, no puedes permitirte la vida que deseas. Por tanto, para ti es muy evidente que necesitas cambiar. Instauras un sistema de trabajo con el que empiezas a generar dinero trabajas varias horas al día de forma concentrada, aunque no te apetezca.

Y cada vez ganas más dinero. Empiezas a ganar mil euros al día.

¿Seguirías con tu sistema de trabajo? ¿O te tomarías una "merecidas vacaciones"?

Es normal que haya subidas y bajadas, ciclos, que descanses de vez en cuando y vuelvas con má fuerza.

Pero siempre controla los riesgos que esas caídas no acaben contigo.

No sé si este libro te parezca divertido o aburrido, no es un libro de chistes. No pretendo que lo pases bien, esta lectura no es para cualquiera. Te felicito por atreverte a cuestionarte a ti mismo, conócete.
Si algo de que lo que te digo te duele, vamos bien: estás creciendo.

No temas el dolor. Úsalo.

Comprométete con este proceso, no por un mes, dos o cinco: esto es para toda la vida.

Lo que aprendes aquí es una filosofía vital, un estilo de vida, un *modus operandi* flexible pero estricto.

No falla.

El secreto de la salud y el bienestar es asumir la responsabilidad total de tu vida y actuar acorde a ello.

Ahora veremos exactamente cómo.

Pasos

Alimentación

El primer paso es controlar y cuidar al máximo todo lo que estás ingiriendo. Deja de envenenarte. No necesitas ninguna dieta, el secreto es consumir solo comida de verdad y hacerlo con la frecuencia adecuada. También debes cuidar qué cantidad consumes de cada alimento y cómo los mezclas.

La obesidad es una de las formas que toma el descontrol alimenticio, una de las consecuencias negativas más conocidas.

Es evidente cuando alguien sufre los kilos de más. Lo que no está tan claro es cuáles son las causas. He escuchado de todo: que si mi metabolismo, que si comer pan, que si es culpa del marido...

Eva es uno de los casos más interesantes que conozco. Con apenas veinte años empezó a engordar de forma desmesurada: comía helados, bebía refrescos carbonatados, usaba salsas industriales...

Y no hacía ejercicio. Solo andar lo mínimo necesario para sobrevivir, y poco más. Nunca ponía su corazón a trabajar de verdad, pero sobre ese tema hablaremos en otro momento.

El punto de inflexión fue cuando se desmayó en medio de la calle y despertó en el hospital. Esa vez el médico le dijo con seriedad que tenía que cuidarse, y por fin se dio cuenta de que era verdad.

En fin, Eva consiguió mejorar mucho su salud, bajar decenas de kilos y recuperar su vitalidad, su sonrisa.

¿Cómo bajar de peso, recuperar la salud y el bienestar? Eliminando de su dieta todos los procesados. N más conservantes ni azúcares añadidos.

Adiós al alcohol.

Hola a la comida ecológica.

Tuvo que hacer lo que conocemos como una ingesta hipocalórica: consumir menos calorías que las que gastaba.

Si te pusiese una imagen del antes y el después te impresionaría. Imagínatelo: una chica muy joven que estaba descontrolándose, rebosaba grasa, pero tras meses cuidándose, logró unos cambios que a ella misma le impresionaron.

¿Le costó privarse de los venenos?

Pues claro, y uno de ellos quizás no lo sepas, pero también influye: el tabaco.

Eva dejó de fumar para siempre.

Recuerda esto:

Lo que comes es lo que eres.

Si en tu alimentación hay procesados o refinados, elimínalos ya.

Come comida real, de verdad, no eso que venden hecho en fábricas que no es ni comida.

Eso está hecho para ganar dinero a costa de salud. Esos productos son causantes de ansiedad y depresión.

Esta parte no es negociable, ya sabes que si quieres cambiar lo resultados no puedes seguir haciendo lo mismo.

No te estoy pidiendo nada loco, solo que vuelvas a lo natural. Come carne si quieres, pero que se carne, no un procesado con un poco de carne y… ¿quién sabe qué?

Nadie dijo que fuese fácil, pero es necesario.

Si puedes plantar y cultivar tus propios alimentos hazlo, puedes unirte a grupos que ya lo hagan o crear una asociación si es que no existe alguna que te guste: busca terrenos fértiles que estén abandonados y habla con los dueños para conseguir una cesión gratis a cambio de cuidarlos, luego haz una convocatoria por redes sociales y medios de comunicación locales para encontrar manos.

Es importante.

La comida es lo que te va a sanar.

También bebe abundante agua fresca y evita los envases de plásticos porque pueden acabar ingiriendo partículas de estos.

Una botella de cristal o aluminio es una excelente compañera reutilizable. Pueden existir cantimploras de plástico de calidad, pero no todas lo son. Sobre todo, no reutilices las botellas de plástico

comerciales que venden con el agua
que compras en tiendas, no están
hechas para ello y, aunque
aparentemente pueden funcionar, se
convierten en nidos de infecciones.

En la Grecia clásica ya sabían que la
forma de sanarse es con la comida.
No con medicamentos ni con nada
raro. Elige bien qué comes, qué no
comes, en qué momentos lo haces y
cómo.

Es conveniente que no te alimentes
de forma apresurada, la costumbre
española de tener largas comidas
con varios platos, postres y chupitos
(*shots* dicen en América) digestivos
muchas veces antes de que la
música en directo aparezca
favorece la salud y el bienestar.

Al menos trata de dedicarle media
hora a cada comida. ¿Y cuántas
comidas al día? No es cierto que
sean necesarias seis, tres, o cinco.
No para todos los cuerpos es l

mismo, y también depende de qué quieras conseguir. ¿Cómo bajar de peso? ¿Cómo tener más energía? ¿Aumentar volumen muscular?

Lo que la evidencia muestra es que MUCHAS veces comemos por ansiedad. O bebemos. para ocupar nuestra atención en eso, en el placer de ingerir, en vez de asumir la vida real y los retos que debemos enfrentar.

Históricamente nunca habíamos tenido tantas "cosas" que llaman alimentos como ahora. No sé tú, pero yo no veo esos productos fabricados en masa con ingredientes de quién sabe dónde como comida real. No lo son. Y no deberías aceptarlos como tales.

Muchos productos han sido vendidos hasta la saciedad y han tenido que ser las autoridades sanitarias quienes los retiren del mercado ya que la población, atraída por su bajo precio y sabor artificialmente “rico” lo devoraba. Este es el caso, po ejemplo, de las sopas Maruchan er México, que, reconozco, hasta yo mismo he tomado: aparentement no eran tan malas.

Pero sí lo eran. Como toda esa basura que nos venden para hace negocio a costa de nuestra salud er el largo plazo.

La comida basura es peor que la drogas.

No me voy a cansar de decirlo come solo comida real. ¿Cóm distinguirla? Nada procesado. Si e la etiqueta hay mucho ingredientes: descártalo.

¿Puedes comer carne y pescado? S pero carne y pescado de verdad. N “salchichas” y, mucho cuidado con e “pescado”, sucedáneos directamente estafas que vende como si fuese natural.

Hay datos que revelan que en España al menos 1/3 parte de lo que se vende como atún congelado en realidad contiene otros pescados de menor valor. Es algo que sucede a nivel mundial: muchas veces te engañan al decirte qué te están vendiendo.

Ten mucho cuidado. Lo mejor es evitar intermediarios en la medida de lo posible, elige tiendas y proveedores cercados. No temas preguntar sobre aquello que te vas a comer, es tu salud.

Me impresiona que tanta gente sea capaz de comer cualquier cosa. Piénsalo por un momento, ¿cuánto te quieres? Haz un ejercicio de autoconocimiento. ¿Qué piensas cuando decides cómo vas a invertir tu dinero?

Por ejemplo: ¿vas a comprar los huevos "baratos" de gallinas que han vivido en jaulas o los "caros" de

gallinas que han tenido mejo
alimentación y estilo de vida? Er
libertad, dice el envase.

Esto tiene fuertes implicacione
psicológicas: si decides ir por l
opción de menor calidad te está
diciendo a ti mismo que no merece
nada mejor, que formas parte de l
parte más baja de la estructur
social.

Y ahí estarás.

No necesitas comer muchísimo, l
mayoría de los occidentale
(especialmente los norteamericanos
come demasiado. Lo que NECESITA
es que cada bebida o alimento qu
entre por la boca sea de la mayo
calidad posible.

La superación personal consiste e
mejorar, empieza por mejor aquell
que entra en ti.

Ejercicio físico y mental

El segundo paso, después de elegir bien qué vas a meterte en el cuerpo, es moverte: haz ejercicio. En este capítulo veremos tanto la parte de deportes como la de meditación. Existe un mito que quiero destruir desde el principio: no existe la separación entre mente y cuerpo. Son lo mismo. La mente forma parte del cuerpo y es imposible disociarla de este. Es una división artificial pero que utilizamos para señalar en qué nos estamos centrando.

Solo no lo olvides: cuando haces ejercicio físico haces ejercicio mental.

Llegando aquí ya has pasado por mejorar tu alimentación, el paso siguiente es poner a funcionar esa máquina. Ya tiene buen combustible, te va a impresionar lo que podrás conseguir.

Primero hablaremos sobre deportes luego entraremos en el tema de la meditación. Aunque están ligados puedes hacer deporte meditando. Reitero: es una división arbitraria pero útil.

Deportes

Este conocimiento se lo debo en gran parte a Fran, un inteligente amigo con una habilidad pasmosa para conocerse a sí mismo y cuida su cuerpo. Él fue quien me enseñó casi todo lo que sé sobre Tai chi y Capoeira, dos artes en las que entre otras muchas, es experto.

El ejercicio es lo que te mantiene centrado, vivo.

Volvamos a la cuestión histórica: e ser humano durante miles de años tuvo comida solo a veces (por eso l interesante del ayuno intermitente y estuvo obligado todo el tiempo moverse.

Los inventos como coches, sofás o sillas de ruedas son más recientes de lo que piensas. Igual que los escritorios, el supermercado y, ya ni te digo, el comercio electrónico, las neveras y los teléfonos "inteligentes".

Hay diferencias entre sexos, pero en esencia la vida era viaje, nomadismo, incertidumbre, aventura.

La de muchos sigue siendo así. Pero el sedentarismo se ha convertido en una epidemia de la que nadie está hablando, aunque esté siendo devastadora, como las epidemias de ansiedad y depresión.

¿Cuántos días a la semana debes hacer ejercicio? TODOS.

Que alguno no puedes... Pues mal. Aceptable, pero no es lo deseable. Como mínimo haz tres días a la semana, pero mejor si son todos los días. Eso del lunes a domingo es un

invento reciente también, arbitrario
artificial.

¿Y qué es hacer ejercicio? Para m
no es ir a comprar el pan, bajar l
basura, pasear al perro o lavar lo
platos. O sea, sí, es ejercicio, per
no es suficiente. Cuando hablo d
hacer deporte o ejercicio a diario m
refiero a sudar, a poner la
pulsaciones entre 100 y 120 po
minuto al menos.

Salir de la tranquilidad.

Esto es muy importante para libera
el estrés. Ciertamente a vece
puede parecer loco ver a persona
corriendo sin destino, en un mism
sitio o atravesando todo tipo d
espacios a gran velocidad sin qu
nadie los persiga.

Antes, cuando nos estresábamos, l
solución era moverse: correr, pelea
migrar. Hoy, nos estresamos, y,
no hacemos ejercicio, nunc

liberamos esa tensión. Se queda ahí el estrés.

Un día que no has sudado es un día que te has dejado morir un poco. Es un día en el que has renunciado a tu crecimiento personal y claudicado en la mediocridad, el pasotismo, el olvido.

Por amor propio: pon tu cuerpo al máximo, plantéate retos y supéralos, sube montañas, participa en maratones, entrena deportes de contacto, disfruta artes marciales, nada y bucea todo lo que puedas.

¿Conoces el concepto de antifragilidad? Nassim Nicholas Taleb lo hizo famoso en su libro ***Antifrágil: Las cosas que se benefician del desorden***, plantea que, si no eres capaz de construirte de forma que el caos te beneficie, acabarás desapareciendo.

¿Cómo puedes beneficiarte de lo que aparentemente son adversidades?

Reconociéndolas y conociéndote Prepárate para ello, no trates de buscar la seguridad a toda costa porque esta no existe.

Siempre surgen “cisnes negros” eventos imposibles de predecir Como persona que busca e crecimiento personal necesitas se emprendedor, crear tu propia realidad en vez de vivir trabajando para crear la de otros.

La antifragilidad la consigues cuando te fortaleces, como lo hacen tus huesos, con cargas cada vez má pesadas. Vuélvete ágil, no sol robusto, no basta con que sea “resiliente”. Tienes que aprovecha las oportunidades que surjan.

Estate siempre listo para adaptarte para pivotar. Si haces pesas: ha cada vez más. Si un día llueve e vez de quedarte en casa sal mójate.

No conozco a nadie que haya muerto por enfrentarse a las dificultades. Pero sí a muchos que han fallecido en vida por miedo a hacerlo.

Abraza la incomodidad, búscala. Disfruta el dolor, en él está el crecimiento.

Ya lo decía Buda: "El dolor es inevitable y ayuda a crecer; el sufrimiento opcional".

Nunca te quejes. Busca siempre forzar tus límites: correr más rápido, llegar más lejos.

Me ha pasado de encontrarme en mi vida con personas que, ante el estrés o la más mínima dificultad para lograr sus objetivos, abandonan. Perdedores. Prefieren ser espectadores que protagonistas. Cada uno tiene su forma de vida, el problema es que si te planteas algún objetivo y luego no lo consigues te

vas a frustrar, y la próxima vez n
intentarás nada.

En cambio, si te marcas metas
aunque sean pequeñas, y las va
alcanzando... Dios, qué rico se
siente. Te engancha, querrás más y
más.

Ahora bien... ¿Qué deporte hacer
Depende de ti, prueba varios y v
dónde disfrutas más. Esa es clave
gozar el proceso. Aunque, s
ninguno te gusta, pues igual tendrá
que hacerlo. Los deportes en equip
te ayudarán a relacionarte, lo
individuales te darán la fuerza par
hacerlo todo solo.

Fútbol, tenis, baloncesto, natación
Muay Thai, Pilates, Tai chi, Capoeira
yoga, baile urbano...

Recuerda que no tienes que limitart
a uno. Siempre que te preguntes
¿hago A o B? Piensa en si podría
cambiar esa "o" por una "y". Haz A
B, tan solo decide qué hará

primero, pero abandona la mentalidad de escasez: puedes con más de lo que crees.

Y la falta de tiempo nunca es una razón verdadera, siempre una excusa. Organiza tus prioridades, ponlas por escrito. Ahora.

Meditación y *mindfulness*

¿Es lo mismo meditación y *mindfulness*? Aunque hay personas que los usan como sinónimos normalmente entendemos po meditación el ejercicio mental de concentrase en la nada, la respiración, sin estancarse en ningún pensamiento específico, y, a contrario, el *mindfulness* consiste en enfocar tu atención en algún problema real para ayudarte a resolverlo.

Podríamos traducir *mindfulnes* como la atención plena o toda l mente concentrada, esta práctica t llevará a conectar con el presente.

La meditación te lleva a un estad de consciencia en el que es como s salieses de ti mismo y te viese desde afuera.

Vamos a ver cómo puede aprovechar estas prácticas. L

primero, es que —como siempre— lo más adecuado para ti depende de cómo seas. Hay personas con mucha energía, que disfrutamos uniendo *mindfulness* y ejercicio o lectura, haciendo pesas y leyendo libros, porque nos cuesta mucho estarnos quietos.

Si para ti es imposible, o, mejor dicho: muy difícil, quedarte paralizado como esos monjes budistas, no es imprescindible que lo hagas.

Puede que te sientas más cómodo dando un tranquilo paseo que te permita meditar sin necesidad de detener tu cuerpo. O incluso corriendo o nadando.

Está bien.

El objetivo de este capítulo es que aprendas cómo puedes dominarte a ti mismo. Necesitas parar el mundo exterior de vez en cuando y centrarte en ti, solo así te

conocerás. Haz este ejercicio po
cinco minutos, no necesitas música
hay quien lo hace mejor con los ojos
cerrados (como yo) y hay quien
prefiere dejarlos abiertos.

No importa. Toma tu espacio, evita
distracciones (pon en silencio
teléfono, etc.). Siéntate o túmbate
en una posición cómoda y céntrate
en tu respiración. Déjala fluir, solo
siéntela, atiende a cómo el aire
entra y sale de tu cuerpo, pasando
por cada rincón de tu ser.

Una gran forma de empezar es con
una meditación guiada, aquí tiene
una de diez minutos que te pued
salvar la vida si la practicas a diario

Controlar el pensamiento es esencial para que la ansiedad no pueda volver a dominarte. Sé que es difícil meditar, que vas a distraerte, que querrás dejarlo. Pero insiste. Un tiempo diario, aunque sea corto. Si te cuesta implantar nuevos hábitos en tu vida, no te preocupes, es normal. Insiste, más adelante en este mismo libro encontrarás un método infalible para incorporar nuevos hábitos.

La clave de la organización mental es entenderte a ti mismo como un yo observante más allá del plano

físico. Entender que los
pensamientos son como el aire
externos a ti, flotan, están por todas
partes, pero tú no eres ellos.

Cambiar de aires y cambiar de
pensamientos es lo mismo.

A la hora de meditar o hace
mindfulness busca esa conscienci
de que incluso tu cuerpo e
diferente a tus pensamientos
Trasciende tu envoltorio y únete co
la inmensidad.

Esto es lo que llamamos hace
viajes astrales. Una práctica que co
paciencia puedes llegar a domina
Sus posibilidades, cuestiones com
la telepatía, exceden la
pretensiones de este libro; pero,
te interesa búscame en YouTube
deja un comentario en alguno de lo
videos de mi canal (es un proyect
incipiente pero ahí está, lo teng
abandonado aunque si hay interés

retomaré en algún momento). Te dejo el QR por si te da curiosidad:

La concentración es lo que marca la diferencia en un mundo con infinitos estímulos. Nunca habíamos tenido tantas posibilidades al alcance de nuestra mano. Si antaño conseguir comida era una aventura que implicaba un importante esfuerzo en cuanto a mover el cuerpo y, en ocasiones, arriesgar la vida; hoy pedimos a domicilio en tiempos récord.

Por ejemplo, cuando muere un se querido (veremos más sobre este tema en la última parte del libro) Esto pasa mucho. Sabes que no puedes hacer nada, pero ¿cómo evitar pensar en ello todo el tiempo?

Medita todos los días. Es como el deporte y la alimentación saludable no son negociables. No puede saltarte ningún paso, pero la meditación es algo muy flexible.

Puedes hacer como quieras mientras levantas pesas (como hago yo), corriendo, paseando, tumbad (en la sauna, como también hago) tomando el sol (qué maravilla) hasta cocinando y limpiando t hogar.

Es "simplemente" que controles t pensamiento centrándote en l respiración y dejando pasar e mundo siendo consciente de ti mismo.

Responsabilidad social corporativa y responsabilidad individual corporal

¿Conoces la historia de esa chica que dejó que desconocidos hiciesen lo que quisieran en su cuerpo durante seis horas?

Es un experimento social muy interesante para entender esta sociedad en la que vivimos. El nombre es Ritmo 0 (*Rhythm O*), y la protagonista fue la artista serbia Marina Abramovic, tenía 28 años, era 1974.

Poco antes otro experimento, todavía más famoso, el de Stanley Milgram (psicólogo de la Universidad de Yale), parecía señalar partes muy oscuras de la psicología humana. En ese caso, en resumen, alguien con bata ordenaba pulsar un botón para dar descargas a otra persona aunque esta era un actor descubrieron unos niveles de crueldad y de obediencia muy peligrosos.

En aquella época muchos investigadores estaban tratando de explicar los totalitarismos y en esa línea eran la mayoría de los estudios.

Volviendo al caso de Marina, lo suyo fue menos academicista que el estudio de Milgram (que, además ha sido replicado ya en muchísima ocasiones).
Marina Abramovic se jugó la vida.

El experimento fue estar en un galería de arte seis horas quieta desde las 8 de la tarde hasta las dos de la madrugada. Junto a ella un mesa con 72 objetos diferentes unas instrucciones claras:

"Me hago responsable de todo lo que pueda suceder en este espacio de tiempo. En la mesa hay setenta y dos utensilios que pueden usarse sobre mí como se quiera. Yo soy el objeto".

¿Cuáles eran esos utensilios? Los había tanto hechos para generar placer como para provocar dolor: flores, un jabón, un pañuelo, un broche para el pelo, un martillo, un cuchillo, un látigo, una pistola...

Las primeras tres horas fueron tranquilas. Le dieron algún beso, le pusieron la rosa y poco más. Pero luego todo empezó a descontrolarse, con las tijeras le cortaron la ropa dejándola desnuda, le pintaron partes del cuerpo, como la frente, con el labial, y, lo que fue más peligroso: con el cuchillo le hicieron un corte en el cuello y la sangre entró en escena.

Incluso hubo quien cargó la pistola y apuntó a Marina. Los asistentes se dividieron en dos, aquellos entretenidos escalando la violencia y los que se pusieron a defenderla. Tanto el dueño de la galería de arte como los guardias intervinieron para frenar los ataques y las amenazas. Tiraron la pistola fuera del alcance del público.

Cuando acabó el experimento, a las seis horas, la mayoría de las asistentes huyeron incapaces de tan solo mantenerle la mirada a quien había sido para ellos un objeto de diversión durante el tiempo previo.

Tanto el experimento de Stanley Milgram como el de Marina Abramovic nos dejan algunas conclusiones claras:

1. El ser humano es capaz de ser despiadado si se da un entorno en el que no sea responsable de sus actos.

2. Si no te defiendes, ni tienes a nadie que te defienda, pueden hacerte mucho daño o incluso matarte.

Teniendo esto en cuenta debes hacer dos actividades clave para tu supervivencia: protegerte y generar redes de protección mutua.

No te confíes. Cuídate y fortalécete, y haz lo mismo con otras personas que aprecies.

La responsabilidad social corporativa trata de que las empresas (las corporaciones) no pueden únicamente perseguir fines financieros. Además de ganar dinero, deben ser conscientes de que tienen un impacto en su entorno y hacer que este sea positivo.

Lo mismo sucede con la responsabilidad individual corporativa. No somos plantas. No podemos conformarnos con solo estar.

Hay que direccionar nuestras vidas para hacernos cargo de la posición que tenemos en nuestro entorno.

No te dejes llevar por la corriente. Elige tu destino y avanza hacia él. Este paso es tomar consciencia de ello, de dónde estás. El siguiente es definir tu camino.

Propósito de vida: *ikigai*

En el punto anterior hemos visto que el mundo puede ser injusto y peligroso. Aquí vamos a desarrollar la línea de actuación que seguirás para que nada pueda perturbarte, para tener una dirección clara en la que concentrarte y fortalecer ese locus de control.

Pero antes, quiero contarte otra historia real para acabar de una vez por todas con esa falsa creencia de que vivimos en un planeta cosmológicamente justo (karma lo llaman algunos).

Seguro que te han hablado del cuento de la cigarra y la hormiga. De lo bueno que es ahorrar porque te garantiza tener cuando llegan "las vacas flacas" (los tiempos malos, el invierno).

Es cierto que ahorrar es vital. Sino ahorras cualquier imprevisto, como un problema médico, acabará con tu bienestar.

No obstante, ahorrar no es suficiente. Necesitas también tener responsabilidad y enfocarte en tu propósito.

¿Por qué? Pues, te voy a contar el auténtico cuento de la cigarra y la hormiga. Lo que sucede en el mundo real.

Tenemos una hormiga que trabaja y trabaja todo el tiempo. Y una cigarra que está de fiesta (con otras cigarras) disfrutando de la vida.

Como dice la famosa fábula, la hormiga pasó por delante de la cigarra cargando comida.

—¿Qué haces? ¿Por qué no vienes a divertirte un poco? ¿No te gusta la buena vida? —le preguntó la cigarra a la hormiga.

— Estoy guardando para el invierno, y te recomiendo hacer lo mismo —dijo la hormiga.

Aquí es donde viene lo que nadie te dice, la cigarra, en silencio y con discreción, siguió a la hormiga para ver dónde guardaba el alimento. Luego volvió a la fiesta.

Cuando llegó el invierno y la cigarra ya no tenía nada que comer, quería estar en casa tranquila evitando el mal tiempo, fue a visitar a la hormiga.

Pero no le pidió amablemente comida que esta le negó, como dicen por ahí. Fue con sus otras amigas cigarras que se habían divertido todo el año y le robaron la comida. Tan solo le dejaron lo mínimo para que sobreviviese y pudiese seguir trabajando.

—Mira, hormiga, te dejamos vivir, pero a partir de ahora, para no tener que venir nosotras hasta aquí, nos

vas a dar cada mes la mitad de l
que generes. Y como hagas trampa
te vamos a torturar.

Así nació lo que hoy conocemo
como el Estado. Y la cigarra líder fu
el primer Presidente.

Luego le dijo a la hormiga que l
protegería de otras cigarra
malvadas y así esta hormiga y la
siguientes generaciones acabaro
agradeciéndoles. Síndrome d
Estocolmo lo llaman alguno
psicólogos.

Como bien dicen en la película *Lo*
lunes al sol, lo que nadie te cuent
es por qué unos nacen hormigas
otras cigarras. El punto es que n
podemos cambiar nuestr
nacimiento, pero sí centrarnos en l
que podemos controlar.

Si quieres cambiar de Estado
puedes hacerlo, y en ***Los Secreto***
del Nómada Digital y de l

Fiscalidad Internacional te cuento las claves que necesitas saber.

En este último paso lo que quiero es ayudarte a que traces tu propio camino. Y la pregunta ineludible es:

¿Cuál es tu propósito o *ikigai*?

Para ser feliz necesitas algo más que acumular recursos que podrías perder en cualquier momento.

Los japoneses, con su concepto de *ikigai*, son expertos en utilizar el poder de este motor.

El *ikigai* (o propósito) es aquello que te va a motivar (o te motiva ya) para levantarte cada día. Es un movimiento que va más allá de tu persona.

Si todavía no lo has encontrado, toma hoja y papel o abre algún procesador de textos.

¿Qué amas hacer?

¿Qué eres bueno haciendo?

¿Qué necesita el mundo?

¿Qué puedes hacer que te paguen por ello?

Quizás ya sepas qué amas, qué necesita el mundo y qué puedes hacer para generar dinero, pero todavía no eres bueno haciéndolo. Eso tiene solución: formarte. Dedicarle horas, aprender de referentes y mejorar hasta que logres la excelencia. Solo es cuestión de tiempo.

Esta búsqueda implica, sobre todo, acción. Es válido equivocarse y rectificar. Lo que no sirve es quedarte quieto. Conócete poniéndote a prueba. Explora el mundo, no necesitas tomar un avión, basta con pasees con los ojos abiertos ante nuevas oportunidades, tanto por calles como por Internet.

Hay infinitas opciones.

Quizás —seguramente— las cigarras quieran quitarte la mitad de tu dinero. Pero no te importará tanto si te mueves por más motivos que los financieros.

Cuando tengas dudas sobre a qué destinar tu tiempo pregúntate: ¿esto va a contribuir a desarrollar mi propósito?

Prioriza todo aquello que te lleva a cumplir tu *ikigai*. Para ellos debes tenerlo muy claro, en un lugar visible. Que no se te olvide por qué estás aquí y haces lo que haces.

Tu *ikigai* tiene que estar bajo tu control. Por ejemplo, podría ser ayudar a la mayor cantidad de personas a ser libres (ese es el mío). Quizás no pueda asegurar que X número de esclavos sean liberados cada mes porque eso no depende solo de mí. Pero sí puedo poner todo mi empeño en dar una ayuda cada vez más eficaz.

El *ikigai* es un qué, pero también debes tener claro el cómo. Ese cómo puede cambiar, conforme surgen nuevas posibilidades, como herramientas que antes no existían o alianzas inesperadas. El qué se mantiene.

Es una brújula, un proceso constante, una fuente de energía inacabable.

Para que no te frustes, para que logres de verdad el éxito, debe tener en cuenta esta máxima:

Dar sin esperar recibir.

No es que busque liberar cuerpos conciencias para recibir aplausos dinero. Lo hago por el valor intrínseco que tiene hacerlo. Porqu me encantaría que lo hubiese hecho por mí cuando estab perdido.

No es un medio, es un fin en sí mismo.

No tienes un propósito para hacerte rico. Tienes un propósito para desprenderte de todo lo superfluo, centrarte en lo importante y así ser libre de las variables externas que no puedes controlar.

Recuerda: solo puedes ser responsable de ti mismo. De tus pensamientos y de tus actos, contrólalos y serás feliz.

Cómo controlar la ansiedad ejercicios que sí funcionan

Cómo reducir el estrés en e mínimo tiempo posible

Los estoicos tenían un método qu hoy conocemos como l visualización negativa, consiste e imaginar el peor escenario posible Esto te va a ayudar a relativizar l que esté sucediendo.

Por ejemplo, crees que tu novia est con otro. ¿Qué es lo peor que pued pasar? Que se vaya con él y tenga más tiempo para ti, que sea feliz tú también lo seas, solo o co alguien mejor (alguien que no te se desleal).

Otra forma de reducir el estrés e realizando algunas de tu actividades preferidas, sea leer a t escritor de referencia, salir a andar en bicicleta o pasear por el bosque.

Por último, pero no menos importante, está la respiración. Ya hemos hablado sobre la meditación y su poder. Te hemos recomendado una práctica guiada y aquí viene bien recordarla, funciona. Usa el QR:

Cómo ayudar a otras personas con problemas

No minimices ni maximices su problema. Frases como "eso no es nada", no suelen ayudar. Tampoco hablar sobre ti y trata de competir por a quién le va peor. Darl más importante de la que tiene n ayudará.

Puedes aplicar las tres técnicas antiestré que vimos en el punto anterior:

1. Visualización negativa, ¿cuál es e peor escenario posible?
2. Realizar alguna actividad que l guste.
3. Meditación guiada.

Tampoco suele ser aconsejable que l digas qué debería hacer. Lo más probabl es que ya lo sepa.

Entonces, ¿cómo ayudar?

Escucha activa y acompañamiento.

Tu sola presencia, quizás dándole la man o estableciendo algún contacto físico leve como tocar su hombro o un abrazo, pued hacer más que cualquier discurso.

Ofrece activamente tu ayuda, y, si lo ves pertinente, busca otras figuras en las que apoyarte, otras amistades, familiares u organizaciones especializadas.

Trate de entender y empatizar, sin juzgar.

Resalta las virtudes de la persona que necesita ayuda, sus logros y atributos. Elogios sinceros, no adulaciones.

Hazle comentarios como: "¡mira lo lejos que has llegado!", "ya les gustaría a otros haber conseguido lo que tú" o "estoy orgulloso de ti".

Puede que la persona diga que no quiera tu ayuda, en ese caso comentarios como: "estoy aquí si me necesitas", "¿qué puedo hacer por ti?" o "tengo la sensación de que algo te preocupa, ¿quieres contármelo?" pueden ser muy útiles para empezar.

Cómo afrontar la muerte de un ser querido

Recuerda la idea central de este libro: e locus de control. Si alguien ha muerto, no hay nada que puedas hacer. Sientes dolor es normal, y no necesitas escapar de él Vívelo. Tómate el tiempo que necesite para procesarlo, pero ten en cuenta que nada puedes hacer para cambiarlo.

Te ayudará mucho la escritura terapéutica coge un bolígrafo y una libreta y escrib todo lo que se te ocurra, lo que sientas Puedes hacerle una carta a ese se querido con todo lo que te gustaría decirle Te servirá para desahogarte. En genera escribir siempre es una actividad positiv y puede ser un buen momento para qu inicies con un diario, si todavía no tienes.

Si tienes con quién, habla sobre el tema sobre esa persona, quién era y cómo t sientes. No es positivo guardarse tod dentro.

Muchos psicólogos hablan de que el duel tiene cuatro fases:

1. Negación. No lo quieres aceptar. Piensas que es una pesadilla que en realidad no ha sucedido. En esta fase es probable que no quieras salir de casa (o de la cama) y rechaces todo contacto. Sé consciente de que esta fase es normal, pero también transitoria.
2. Ira. Te enfadarás por lo que ha sucedido, quizás busques culpables y planees una especie de venganza. Te sientes frustrado e importante. Así son las normas de la naturaleza, no podemos hacer nada para cambiarlas. Recuerda el locus de control y no busques hacer justicia porque la justicia no existe y nada te devolverá a la persona querida.
3. Negociación. En este momento empiezas a aceptar lo sucedido y piensas en las opciones. ¿Cómo vas a actuar? Es una etapa de reflexión que debes transitar. Puede ser un buen momento para, si lo consideras pertinente, acudir a ayuda profesional, como la que podría darte un psicólogo.
4. Depresión. Esta etapa está caracterizada por el dolor, el sufrimiento por aquello que has

perdido y no volverá. En es
momento la realización de símbolos
como encender una vela, pued
ayudarte. También el esta
acompañado. Este es el estad
habitual en funerales, este ritual (e
funeral) te ayudará a pasar a l
última fase.

5. Aceptación. Aquí llega, al fin, l
calma. Asumes lo sucedido
aprendes a vivir con ello.

Recuerda que cada persona es diferente
puede necesitar tiempos más o meno
largo. Lo más importante es que nunc
olvides que, lo único que puedes hacer, e
centrarte en aquello que está bajo t
control.

Cómo instaurar hábitos saludables

James Clear con su libro ***Hábitos Atómicos*** se ha convertido en el referente número uno en el tema de las rutinas propias de la gente exitosa, aquí te resumo su método.

Lo primero que debes saber es que existen tres niveles de cambio:

1. Cambio en resultados. Puede ser cumplir una meta como escribir un libro o hacer ejercicio y bajar de peso. Todavía no has cambiado tu persona, pero sí has hecho algo que antes no hacías y con ello has tenido un nuevo resultado.
2. Cambio en el proceso. Aquí ya entramos con los hábitos o sistemas. Por ejemplo, has empezado a escribir a diario o a ir a un gimnasio cinco días por semana. Este es un cambio más duradero que el anterior, ya implica algo personal, pero todavía no es un cambio tan profundo como el del siguiente nivel.
3. Cambio de identidad. En este punto ya no eres el mismo, no piensas lo

que pensabas antes, ves el mundo y a ti en él de una forma diferente. Tus creencias, tu sentido común y tus valores son ahora otros. Este es el cambio al que debes aspirar cuando quieres instaurar un nuevo hábito. Aquí ya te has convertido en, siguiendo los ejemplos, un escritor o un deportista.

Teniendo esto en cuenta, voy a mostrarte el paso a paso para instaurar un nuevo hábito (que, ojalá, acabe transformando tu identidad) en tu vida, J. Clear habla de cuatro leyes:

Primera ley: hacerlo obvio.

Empieza por hacer un registro de tus hábitos, una lista con todo lo que haces (despertarte, revisar el teléfono, ir al baño, hacer el desayuno...). Analiza cada uno de ellos, ¿es positivo o negativo? ¿Te genera consecuencias beneficiosas o perjudiciales? Lo primero es que trates de eliminar aquellos que no te están ayudando e incorpores señales para incluir ese nuevo hábito que deseas. Por ejemplo, si lo que quieres es ir a correr cada mañana, ten la ropa preparada de modo que al despertarte la veas y sea obvio lo que debes hacer.

El formato en el que establecerlo, según J. Clear, es: "cuando la situación X se presenta, yo voy a realizar la respuesta Y".

Acumular hábitos es más fácil de lo que piensas, ya tienes algunos, úsalos para señalar los siguientes. Por ejemplo, quieres incorporar la meditación, ¿por qué no hacerla justo después de lavarte los dientes?, ¿o cuando acabes de tomarte tu café mañanero?

Prepara el terreno para que no haya fricción (o la mínima posible). Si lo que quieres es hacer pesas, ¿por qué guardarlas en el armario? Mejor déjalas a la vista, lista para ser usadas y establece qué hábito será el anterior, cuál señal utilizarás para incorporar ese nuevo hábito.

Olvídate de la motivación, cuida el ambiente para que te ayude a conseguir aquello que deseas. Asocia tu hábito tanto al contexto como a la señal (o el disparador).

Segunda ley: hacerlo atractivo.

Usa la dopamina a tu favor. Pongamos que te encanta el café, ¿por qué no tomarlo solo como premio después de haber realizado ese nuevo hábito que quieres incorporar? O, si lo que te gusta es hace deporte, ¿por qué no buscar ejercicios que hagas con personas que te caen bien divirtiéndote?

Ten en cuenta que la dopamina no se genera cuando realizas el acto deseado sino al desearlo. Por ejemplo, si lo que te chifla es fumar, no pienses que es la calada lo que te da ese subidón, es antes es el pensar en que lo vas a hacer. "La anticipación a la recompensa" es la clave y cuando mayor sea mejor.

¿Cuál es la estrategia? Une ese hábito que quieres incorporar racionalmente, aunque no te apetezca emocionalmente, con alg que sí te genere placer emociona inmediato.

También es importante cómo te cuentas ti mismo la historia, tus pensamientos. E vez de pensar, "voy a comerme est ensalada, aunque no me gusta, par adelgazar", prueba con: "es el moment de nutrirme de forma saludable par disfrutar la felicidad de un cuerpo san con el que podré envejecer sin problema cardiacos". Si lo que quieres es incorpora el hábito del ahorro, es vez de pensar "n me compraré esto porque no teng suficiente dinero", te convendrá pensar: "puedo comprarlo, pero prefiero no hacerlo y así tendré más y podré comprar algo todavía mejor en el futuro".

Tercera ley: hacerlo sencillo.
Quizás el primer día en el que vayas a incorporar el nuevo hábito de hacer ejercicio no estés dos horas en el gimnasio, o el primer mes en el que quieres ahorrar no seas capaz de conservar la mitad de tu salario. Pero ¿qué me dices de entrenar diez minutos y ahorrar un 5%?

La cuestión es empezar, actuar, aunque sea con algo sencillo. No te plantees objetivos demasiado complicados o te frustrarás al no lograrlos. Mejor: busca lo fácil. Haz que incorporar ese nuevo hábito sea lo más simple y cómodo posible.

La esencia de un hábito es la repetición. Deja todo preparado para que llevar tu hábito adelante sea fácil. Por ejemplo, si quieres hacer dieta, pero entre semana no encuentras tiempo para cocinar, usa el fin de semana para dejar tus alimentos listos y que solo necesites comerlos.

No puedes mejorar un hábito que n
existe, así que lo primero es crearlo
aunque solo dure unos segundos.

Cuarta ley: hacerlo satisfactorio.
Para que vuelvas a hacer algo, esto deb
de haberte hecho sentir, de algún modo
bien. Encuentra la satisfacción en l
realización del nuevo hábito para repetirlo
Para ello puedes ayudarte del registro d
hábitos. Pongamos que tu objetivo e
incorporar el hábito de la lectura. Cad
día, después de leer apunta en una libret
cuántas páginas leíste o cuánto tiempo l
destinaste (o simplemente pon una equi
en tu calendario como muestra de qu
cumpliste); sentirás el gozo de habe
completado la tarea. Lo mismo puede
hacer si tu hábito es hacer ejercicio
comer de forma saludable. Tambié
existen otras fórmulas en vez de la libreta
como acumular clips o monedas, el punt
es que tengas un ritual que te gener
placer haciéndote consciente de un mod
visual de tu progreso.

Si alguna vez fallas vuelve cuanto antes
sigue haciéndolo. No te des por vencido.

Puedes tener algún socio que te ayude en este proceso, haz una promesa pública o una apuesta que te motive y comprometa.

Siguiendo esta metodología podrás incluir en tu vida los hábitos que quieras y estos te darán los resultados que deseas. Tu futuro depende de tus hábitos del presente, no lo subestimes. Todo lo que hagas hoy es más fácil que lo vuelvas a hacer mañana.

Conclusiones

Ya hemos llegado al final del libro y en este apartado solo te haré un breve resumen de la esencia de estas páginas. Te lo repetiré por última vez, en mayúsculas para que quede claro, si solo te llevas una idea de aquí, esta podría ser una buena elección:

LOCUS DE CONTROL INTERNO.

Céntrate en aquello que puedes controlar y olvídate de lo demás.

El paso a paso que hemos visto, el método AERP es sencillo pero eficaz. Recordemos qué significan estas siglas, cuáles son esos cuatro pasos:

A: alimentación. Cuida lo que te metes. Es más importante de lo que piensas. Eres lo que comes y bebes, así se genera tu cuerpo que está en constante cambio. Si hasta ahora has tenido malos hábitos y no te has dado suficiente valor, es hora de cambiarlo. Quiérete.

E: ejercicio. Somos animales hechos para movernos. El estrés se libera corriendo, los huesos y músculos se fortalecen sometiéndolos a la presión de levantar peso. El ejercicio no es opcional, es obligatorio.

R: responsabilidad. Nadie te va a cuidar ni te va a salvar cuando las cosas se pongan feas. Tienes que responsabilizarte de ti mismo y de tu papel en el mundo, teje alianzas y amplia esa responsabilidad a tu comunidad. Cuida a los demás y los demás te cuidarán a ti.

P: propósito. La vida solo tiene sentido cuando tenemos dirección. No hay viento favorable para aquel que no sabe hacia dónde se dirige. Establece tu camino de vida, busca tu *ikigai* y entiende que el dinero es un medio, nunca un fin. Sobrepasa tu ego. Las personas mueren pero las ideas, los movimientos, prevalecen. Encuentra tu causa y haz tu aporte a la humanidad.

Espero que esto te haya servido. Si es así, no dudes en dejar una reseña positiva y recomendar el libro, ayudarías mucho a que este trabajo pueda seguir existiendo.

Otros libros del mismo autor

EL MÉTODO HONOR : LA GUÍA DEFINITIVA PARA LOGRAR LA LIBERTAD FINANCIERA CON MARKETING DIGITAL Y NEGOCIOS ONLINE

El libro negro de los CRIPTOACTIVOS, la FISCALIDAD y la LIBERTAD FINANCIERA Rutas de elusión fiscal con criptomonedas, NFTs y sociedades

Cómo hacer un TALLER de ESCRITURA online y/o offline: El antimanual con juegos actividades, consejos, trucos ejercicios para APRENDER ESCRIBIR novelas, no ficción poesía, relatos y cuentos

DINERO La biblia de los ingresos pasivos (para principiantes): Aprende a invertir, el arte de emprender un negocio online y cómo ganar dinero por internet incluso mientras duermes

Los Secretos del Nómada Digital y de la Fiscalidad Internacional: Guía Paso a Paso para Emprendedores Inteligentes que Aplican la Teoría de las Banderas y Gozan la Libertad Financiera

Estoicismo Cotidiano Moderno

Cómo ser Feliz Gracias a la Filosofía Estoica

Roberto de los Bosques

Descargo de responsabilidad

La información y consejos presentados en este libro se basan en investigaciones, experiencias personales y reflexiones del autor sobre el estoicismo y su aplicabilidad en la vida cotidiana moderna. Aunque se ha hecho un esfuerzo genuino para proporcionar contenido preciso y útil, este libro está destinado únicamente a fines educativos y de autoayuda.

No se pretende que este libro reemplace el consejo médico, psicológico o de cualquier otro profesional de la salud. Si el lector está enfrentando problemas de salud mental o emocionales, se recomienda encarecidamente buscar la ayuda de profesionales cualificados.

El autor y el editor no asumen responsabilidad alguna por cualquier consecuencia directa o indirecta relacionada con cualquier acción o inacción que el lector tome basándose en la información proporcionada en este libro. Cada individuo es único, y la eficacia de cualquier consejo o estrategia puede variar de una persona a otra.

Es esencial que, al leer este libro, lo hagas con mente abierta y discernimiento, adaptando lo que aprendes a tus circunstancias personales y reconociendo que tu bienestar es, ante todo, tu responsabilidad.

Agradecimientos

El proceso de escribir este libro ha sido una travesía de introspección, aprendizaje y crecimiento. A lo largo del camino, muchas personas han dejado una marca indeleble en mi corazón y en estas páginas. Es un privilegio y un honor agradecer a quienes han hecho posible este viaje.
A mi familia, que siempre ha sido mi roca y mi refugio. Por su amor incondicional, su paciencia y su fe en mí, incluso en los momentos en que dudaba de mí mismo.
A mis amigos, por ser mi sistema de apoyo, por las conversaciones profundas y las risas ligeras, y por recordarme que la vida es tanto desafío como celebración.
A los maestros del estoicismo, desde Séneca hasta Marco Aurelio, cuyas enseñanzas han resistido la prueba del tiempo y continúan iluminando el camino para muchos de nosotros.
A mi equipo editorial, por su dedicación, meticulosidad y paciencia mientras moldeábamos juntos este manuscrito. Especialmente a mi editor, cuya perspicacia y consejos han sido invaluables.

A todos los lectores y seguidores que compartieron sus historias, preguntas y reflexiones a lo largo de los años. Sus voces resonaron en cada palabra escrita.

Y finalmente, a la vida misma, con sus altos y bajos, alegrías y tristezas, que ha sido la maestra más grande. Cada experiencia, cada desafío, ha sido una lección, una oportunidad para crecer y aprender.

Gracias a todos por ser parte de este viaje. Este libro es un testimonio de nuestra interconexión y del poder transformador de la sabiduría estoica en el mundo moderno.

Con profundo agradecimiento,

Roberto de los Bosques.

Dedicatoria

Para todos aquellos que buscan luz en medio de la oscuridad, que enfrentan tempestades con valentía y que, a pesar de las adversidades, eligen levantarse una y otra vez.
A mis mentores y guías, quienes me mostraron el camino del estoicismo y me enseñaron que la sabiduría es un viaje, no un destino.
Y a ti, querido lector, por tener la valentía de embarcarte en este viaje de autodescubrimiento y transformación. Que encuentres en estas páginas el impulso para vivir con autenticidad, propósito y serenidad.
Con gratitud y esperanza.

Del Caos a la Claridad

¿Conoces la sensación de estar en el oj
del huracán? Donde todo a tu alrededor e
un torbellino de decisiones
responsabilidades y expectativas. Así m
sentía día tras día. Como emprendedo
siempre había creído que el estrés y l
constante preocupación eran parte de
paquete, el precio a pagar por seguir mi
sueños.
Mi negocio iba bien en término
financieros, pero emocionalmente, estab
agotado. Las noches sin dormir, el mied
constante a equivocarme, la presión d
tener a un equipo dependiendo de mí.
Todo ello estaba pasando factura a m
salud mental.
Un día, durante un viaje de negocios
Atenas, decidí darme una tarde libre
visitar la antigua Ágora, el corazón de
ciudad en tiempos antiguos. Mientra
caminaba entre las ruinas, un guía loc
comenzó a hablar sobre los filósofos qu
solían debatir en aquel mismo lugar. M
contó sobre el estoicismo, una filosof
que se centraba en la paz interna,
aceptación y el control de nuestras propia
acciones y reacciones.

Fue una chispa. ¿Podría ser este el equilibrio que había estado buscando? Al regresar, invertí horas en investigar y leer sobre el estoicismo. Y lo que descubrí no fue solo una filosofía antigua, sino una guía práctica para vivir. Las lecciones de los estoicos me dieron herramientas para enfrentar mis miedos, aceptar lo que no podía cambiar y, lo más importante, encontrar un espacio de calma en medio del caos.

Este libro nace de ese descubrimiento. No es solo un compendio de filosofía; es el testimonio de cómo esas enseñanzas transformaron mi vida, dándome claridad y propósito en medio de la tormenta. Y estoy convencido de que, si me permites, estas lecciones pueden hacer lo mismo por ti.

Así que te invito a sumergirte en estas páginas, a descubrir la sabiduría que ha resistido el paso del tiempo y que, en mi experiencia, es más relevante que nunca. Juntos, desentrañaremos las lecciones que nos llevarán desde el caos a la claridad.

Capítulo 1: El Secreto de
Guerrero en Calma

Era una mañana brumosa en Roma. A
pesar de estar en el siglo XXI, la ciudad
aún conservaba el eco de las grande
mentes que una vez la habitaron. Me
encontraba allí por motivos de trabajo
pero aprovechaba cada momento libre
para sumergirme en sus calles repletas de
historia. Esa mañana en particular, decid
visitar el Foro Romano.

Mientras caminaba entre las ruinas, m
mente estaba en otra parte: la
preparación de un proyecto crucial para m
negocio. Todo tenía que ser perfecto. Pero
de repente, mi teléfono vibró con un
mensaje inesperado: uno de lo
principales colaboradores se retiraba de
proyecto. Fue como si el suelo se abrier
bajo mis pies.

En medio de mi angustia, me encontré frente a las ruinas del Templo de Saturno. Recordé que fue allí donde Séneca, uno de los estoicos más famosos, reflexionaba sobre la naturaleza efímera de las riquezas y la importancia de centrarse en lo que realmente importa. ¿Qué habría dicho Séneca ante mi situación? Probablemente algo similar a lo que escribió en sus cartas a Lucilio: "No somos dados a nosotros mismos, sino a la fortuna. Pero nuestra propia alma es nuestra, y por lo tanto, debemos mantenerla serena y tranquila."
Tomando inspiración de Séneca, decidí reevaluar la situación. ¿Qué estaba bajo mi control? No podía cambiar la decisión de mi colaborador, pero sí podía controlar cómo reaccionaba y los siguientes pasos a tomar. Fue en ese momento que una frase de Epicteto, otro grande del estoicismo, vino a mi mente: "No son los eventos los que nos perturban, sino nuestra interpretación de ellos."
Con una renovada determinación, regresé a mi alojamiento y replanteé la estrategia del proyecto, adaptándome al nuevo panorama. El resultado fue un enfoque más robusto y resiliente, que no solo superó las expectativas iniciales sino que también solidificó mi confianza en la sabiduría estoica.

Aplicando la lección en la cotidianidad moderna:

1. **Establece Claramente lo que Está Bajo Tu Control**: Al igual que Marco Aurelio, el emperador-filósofo nos recuerda en sus *Meditaciones* no podemos controlar los evento externos, solo nuestra reacción ante ellos.
2. **Reflexiona Regularmente**: Dedica tiempo cada día, como lo hací Séneca, para reflexionar sobre tu acciones, tus reacciones y tu progresos.
3. **Busca Inspiración en los Textos Estoicos**: Ya sea Epicteto, Séneca Marco Aurelio, sus palabras ha resistido la prueba del tiempo ofrecen guía y consuelo en lo desafíos contemporáneos.

A lo largo de este libro, descubriremos juntos cómo las enseñanzas de esto maestros antiguos pueden iluminar transformar nuestra vida moderna.

Capítulo 2: El Poder del Instante Eterno

El reloj marcaba las 12 del mediodía en París. La Torre Eiffel se alzaba majestuosa bajo el sol, y yo me encontraba en uno de esos cafés clásicos, con mesas al aire libre y sombrillas blancas, disfrutando de un café mientras revisaba algunos correos electrónicos en mi teléfono. La prisa y el bullicio de la ciudad a la hora del almuerzo eran palpables. Todo el mundo parecía estar en movimiento, corriendo de un lado a otro, atrapados en el torbellino de sus propias vidas.

Justo en ese momento, recibí una llamada: un problema urgente requería mi atención inmediata. Mi mente comenzó a divagar en mil direcciones, evaluando escenarios, buscando soluciones. Pero al colgar el teléfono, me detuve por un momento y miré a mi alrededor. Noté a una anciana sentada en un banco cercano, alimentando a las palomas, completamente inmersa en ese simple acto, ajena al caos que la rodeaba.

Me recordó a una frase de Marco Aurelio: "Recuerda que el hombre solo vive en el presente, en este breve instante; todo el resto de su vida está ya vivido o es incierto."

Ahí estaba, el Poder del Instante Eterno.
Nos preocupamos tanto por el pasado, qu
ya no podemos cambiar, y por el futuro
que aún no ha llegado, que olvidamos vivi
el momento presente, el único qu
realmente poseemos. Esa anciana, con s
gesto simple y cotidiano, me mostró l
esencia de una de las lecciones má
profundas del estoicismo: la importanci
de vivir plenamente el aquí y el ahora.
En la antigua Grecia, Epicteto solía decir
"No pidas que las cosas ocurran como t
quieres, sino quiere las cosas com
ocurren y tendrás paz." Y eso fu
exactamente lo que decidí hacer. En luga
de preocuparme por el problema qu
había surgido, elegí abordarlo co
serenidad, aceptando la situación tal
como se presentaba, y buscand
soluciones con mente clara y enfocada.

Aplicando la lección a nuestr cotidianidad moderna:

1. **Mindfulness o Atención Plena**: E
este mundo acelerado, practica
atención plena. Ya sea mediante
meditación, caminatas en
naturaleza o simplemente prestand
plena atención a lo que haces, busc
momentos para conectarte con
presente.

2. **Limita las Distracciones**: Disminuye el tiempo en redes sociales, apaga las notificaciones innecesarias y establece períodos específicos para revisar correos o mensajes. Esto te permitirá centrarte más en el momento actual.
3. **Aceptación Activa**: Aprende a aceptar y abrazar el presente, con sus imperfecciones y desafíos. Como decía Séneca: "El tiempo cura lo que la razón no puede curar." A veces, simplemente estar presente y enfrentar el momento con valentía es todo lo que se necesita.

A medida que avanzamos, descubrirás cómo las enseñanzas estoicas no solo son relevantes, sino esenciales para navegar en el complejo mundo moderno. Y todo comienza con el poderoso acto de estar verdaderamente presente.

Capítulo 3: El Susurro de la Arenas del Tiempo

El calor del Sahara es asfixiante, pero ha algo hipnótico en el vasto mar de duna doradas que se extienden hasta e horizonte. Durante un viaje d autoexploración, decidí unirme a un caravana nómada que cruzaba este vast desierto. No solo buscaba un desafí físico, sino un espacio para reflexiona sobre la fugacidad y el valor del tiempo.

En nuestra tercera noche, uno de lo ancianos nómadas, Said, me invitó sentarme junto a él alrededor de l hoguera. El fuego crepitaba y las sombra de las llamas danzaban en su rostr arrugado. Comenzó a contarme historia de sus antepasados, de cómo habían cruzado el mismo desierto generación tra generación, enfrentándose a tormentas d arena y a la soledad del infinito paisaje.

Mientras hablaba, vertió arena del desiert en mi mano. "Mira cada grano," me dijo "cada uno representa un día de tu vida Algunos pasan sin ser notados, otro dejan una impresión profunda. Pero a final, todos son finitos."

Me recordó una reflexión de Marco Aurelio: "Piensa en la totalidad de todo el tiempo que ha sido antes de ti. Piensa en la compacta brevedad del espacio de tiempo que te ha sido asignado."
Said continuó: "Nuestros días en la Tierra son limitados, al igual que estos granos de arena. El estoicismo nos enseña a no dejar que se deslicen inútilmente entre nuestros dedos. Es nuestra responsabilidad usar cada grano, cada día, con propósito."
A medida que avanzaban los días en el desierto, internalicé esta profunda lección. Comencé a ver el tiempo no como algo que simplemente pasa, sino como un recurso precioso, un regalo que debe ser atesorado y utilizado sabiamente.

Aplicando la sabiduría estoica a la cotidianidad moderna:

1. **Carpe Diem**: Esta famosa expresión latina, que significa "aprovecha el día", resuena con la filosofía estoica. No se trata de buscar placeres efímeros, sino de vivir con propósito y significado cada día.
2. **Memento Mori**: "Recuerda que morirás." No es una reflexión mórbida, sino un recordatorio de la fugacidad de la vida. Saber que nuestro tiempo es finito nos impulsa a actuar con urgencia y propósito.

3. **Reflexión Diaria**: Como Séneca nos aconsejó, al final de cada día tómate un momento para reflexionar. ¿Qué hiciste bien? ¿Dónde puedes mejorar? ¿Cómo puedes vivir mañana de manera más alineada con tus valores?

El desierto, con su inmensidad y silencio me ofreció una perspectiva única sobre el tiempo y nuestra relación con él. A través de la sabiduría estoica, aprendí a ver cada día no como algo garantizado, sino como una oportunidad preciosa para vivir con intención, propósito y gratitud.

Capítulo 4: El Bastión Interior

Durante una época turbulenta de mi vida, me encontré en los bulliciosos callejones de Katmandú, Nepal. Estaba allí para desconectar de la vida moderna, para tratar de hallar respuestas a preguntas que resonaban en mi cabeza. La ciudad estaba llena de color, sonidos y olores que me eran ajenos. A pesar de la belleza exterior, había un caos interno que no podía silenciar.

En una de mis caminatas, me topé con un pequeño monasterio budista en las afueras de la ciudad. Atraído por su tranquilidad, decidí entrar. Fui recibido por un monje anciano, de rostro sereno y una calma que irradiaba paz. Le confesé mi agitación interior, y en lugar de ofrecer palabras, me invitó a sentarme con él en silencio.

Mientras meditábamos, sentí que las barreras de mi mente empezaban a desmoronarse. Las preocupaciones y ansiedades que me atormentaban comenzaron a parecer más pequeñas y manejables. Al finalizar, el monje me compartió una enseñanza que jamás olvidaré. "Tu mente", dijo, "es como una fortaleza. Tú decides quién entra y quién se queda fuera. Es tu bastión interior."

Esas palabras resonaron profundament con la filosofía estoica. Los estoicos creía que si bien no podemos controlar la circunstancias externas, tenemos el pode de controlar cómo reaccionamos ant ellas. Me vino a la mente la célebre cita d Epicteto: "No son las cosas las que turba al hombre, sino la opinión sobre la cosas."

Aplicando el Bastión Interior a la vid moderna:

1. **Controla lo Controlable**: En u mundo en el que todo parece esta en constante cambio y caos, e esencial centrarse en lo qu realmente está bajo nuestro contro nuestras acciones, pensamientos reacciones.
2. **Resiliencia ante la Adversidad** Como Marco Aurelio solía decir: " obstáculo en el camino se conviert en el camino". En lugar de evita desafíos, enfrentarlos con valentía usando cada dificultad como un oportunidad para crecer y aprender.
3. **Meditación Reflexiva**: No meditación en el sentido budista sino en el sentido estoico. Dedica un tiempo cada día para reflexiona sobre nuestros actos, sobre nuestra reacciones, y sobre cómo podemo fortalecer nuestro bastión interior.

La lección del monje y la sabiduría de los estoicos me enseñaron que, a pesar de los retos y adversidades de la vida, todos poseemos un bastión interior. Un espacio sagrado dentro de nosotros que, si se cultiva y se fortalece, puede resistir cualquier tormenta que la vida nos presente.

Capítulo 5: Tras las Máscaras del Mundo

Era invierno y me encontraba en un tren nocturno que cruzaba los paisajes nevados de Rusia, camino a San Petersburgo. Los compartimentos eran acogedores y e sonido de las ruedas contra las vías era hipnótico. En el compartimento contiguo viajaba una mujer de avanzada edad, con cabellos plateados y una mirada penetrante. Desde el primer momento noté que los demás pasajeros evitaban interactuar con ella. Su expresión era severa, y cuando intenté entablar una conversación, sus respuestas fueron cortantes.

No obstante, en la noche noche, mientra el tren se mecía suavemente y la lun iluminaba los campos nevados, ella abri una vieja caja de madera y sacó una seri de fotografías. Intrigado, me acerqué con curiosidad. Lo que vi fue una serie d imágenes de una joven bailarina e escenarios grandiosos. "Esa era yo", dijo con un susurro.

Esa noche, compartió su historia. Había sido una bailarina de renombre, pero una lesión la obligó a abandonar su pasión. La amargura la consumió, y en su corazón creció un resentimiento hacia el mundo que le había robado su sueño. Sin embargo, un día, al leer las palabras de Marco Aurelio, tuvo una epifanía: "Acepta lo que te sucede. Incluso si parece un golpe del destino, conviértelo en un acto de tu propia voluntad y transfórmalo en algo positivo". Inspirada por esto, empezó a enseñar danza a jóvenes talentos, convirtiendo su dolor en una fuente de inspiración para otros.

La lección que aprendí esa noche fue profunda. A menudo, juzgamos a las personas basándonos en sus máscaras externas, sin darnos cuenta de que, detrás de cada rostro, hay una historia, luchas y triunfos.

Aplicando la empatía en un mundo de máscaras:

1. **Aprender a Escuchar**: En un mundo lleno de ruido, escuchar de verdad es un arte. Las enseñanzas estoicas nos recuerdan que debemos dar a cada persona la oportunidad de ser escuchada.

2. **Transformar el Dolor en Crecimiento**: Séneca nos dice que "El fuego prueba el oro, y la adversidad, a los hombres fuertes". En lugar de huir del dolor, podemos utilizarlo como un catalizador para el crecimiento y la comprensión.
3. **Conexión Genuina**: Marco Aurelio escribió que "Todos somos miembros de un gran cuerpo". La empatía no es solo sentir con el otro, sino reconocer que estamos intrínsecamente conectados.

La mujer del tren me enseñó que, a pesar de las máscaras que llevamos, debajo de ellas se encuentra una humanidad común, llena de sueños, esperanzas y desafíos. Al conectar con esa humanidad, no solo enriquecemos nuestras propias vidas, sino que también fortalecemos el tejido de la sociedad.

Capítulo 6: El Espejo del Alma

La niebla había envuelto la ciudad de Praga aquella mañana. Las calles empedradas resplandecían bajo las tenues luces de los faroles, creando una atmósfera etérea. En mi viaje por Europa, Praga era una escala imperdible, no solo por su historia y arquitectura, sino porque había heredado una antigua casa de un pariente lejano que nunca conocí. Era una mansión victoriana, con techos altos, grandes ventanales y pasillos que parecían interminables.

En mi segundo día allí, mientras exploraba el piso de arriba, encontré un estudio que estaba intacto desde hacía décadas. Cubierto por una lona polvorienta, descubrí un espejo de cuerpo entero con un intrincado marco de roble. Me acerqué y lo que vi me dejó atónito. No era mi reflejo lo que observaba, sino el de un hombre mucho mayor, con profundos surcos en su rostro y una mirada triste y distante. Sus ojos parecían querer comunicar algo.

Desconcertado, retrocedí, pero el impuls
de la curiosidad me hizo volver a mirar.
entonces, en una especie de trance, m
sumergí en los recuerdos de ese hombre
Viví sus alegrías, sus amores, sus fracaso
y, sobre todo, su constante lucha intern
entre ser fiel a sí mismo o seguir la
expectativas de los demás.

Fue Epicteto quien dijo: "No somo
perturbados por las cosas, sino por la
opiniones que tenemos de ellas". Est
hombre, a pesar de su riqueza y estatu
había vivido una vida de inautenticida
siempre tratando de encajar, de ser lo qu
otros esperaban de él.

Al volver en mí, las horas parecían hab
pasado en minutos. El espejo ya n
mostraba al anciano, sino mi prop
reflejo. Pero había algo diferente en m
ojos, una claridad y determinación que n
estaba antes.

Confrontando Nuestro Verdadero Y en un Mundo de Sombras:

1. **Encuentro con el Yo Interno**: E nuestro ajetreo diario, rara vez n detenemos a mirarnos realmente, cuestionarnos quiénes somos y q queremos. Marco Aurelio nos insta introspectar, a encontrar nuest verdad interna en medio del rui exterior.

2. **La Honestidad Brutal**: El espejo en esa casa no mentía. De la misma manera, necesitamos espejos en nuestras vidas que nos muestren la realidad, sin adornos ni falsedades. Solo enfrentando nuestras verdades, por dolorosas que sean, podemos empezar a sanar y crecer.
3. **La Evolución del Ser**: Una vez que nos vemos con claridad, viene el desafío de cambiar, de evolucionar. Séneca nos dice que "No es que tengamos poco tiempo, sino que perdemos mucho". No desperdiciemos más tiempo viviendo una vida que no nos pertenece.

Esa experiencia en Praga fue un despertar. Me enseñó que, más allá de las expectativas y presiones del mundo, está nuestro verdadero yo, esperando ser descubierto, esperando brillar. Y ese es el camino hacia una vida plena y auténtica.

Capítulo 7: El Laberinto de las Pruebas Doradas

Era un caluroso día de julio cuando recib la invitación. Una conferencia d emprendedores en Barcelona, en la qu sería uno de los principales oradores. Si embargo, el verdadero desafío no era e evento en sí, sino lo que enfrentarí antes: un taller privado titulado "E Laberinto de las Pruebas Doradas".

El taller prometía llevar a sus participante a través de una serie de desafíos mentale y emocionales que simularían lo obstáculos que enfrentamos en la vid cotidiana. Estaba curioso y, al mism tiempo, receloso. ¿Qué podría enseñarm un taller?

La primera tarea parecía simple. No entregaron una hoja en blanco y no pidieron que escribiéramos nuestro mayores fracasos. Las palabras brotaro de mí: la inversión fallida del año pasad la asociación comercial que se desintegr el proyecto que nunca despegó. Pero co cada recuerdo, una voz interna susurrab las enseñanzas de Séneca: "La dificultades fortalecen la mente, como trabajo hace fuertes los músculos".

La siguiente prueba nos confrontó con nuestros miedos. A través de una simulación, enfrentamos situaciones de crisis en nuestros negocios. Recuerdo sentir el pánico inicial, pero luego una calma extraña. Pensé en Marco Aurelio: "Mira dentro de ti mismo. Dentro hay una fuente de bien que debe fluir constantemente si constantemente la excavas".

Al llegar al final del taller, el verdadero desafío se reveló: enfrentar nuestro reflejo, hablar en voz alta sobre lo que habíamos aprendido y cómo lo aplicaríamos en nuestra vida diaria.

Lecciones del Laberinto para la Vida Moderna:

1. **La Sabiduría de los Fracasos**: En un mundo que celebra el éxito, el estoicismo nos enseña a valorar también nuestros fracasos. Cada error es una lección, cada caída una oportunidad para levantarnos más fuertes.
2. **Enfrentar Nuestros Miedos**: Vivimos en una era de incertidumbre constante. Cambios tecnológicos, crisis económicas, desafíos personales. Pero, como enseñaba Epicteto, no es lo que nos sucede, sino cómo respondemos lo que define nuestro carácter.

3. **Introspección y Acción**: Reflexionar sobre nosotros mismos es esencial, pero el verdadero cambio proviene de la acción. Es la combinación de introspección y acción lo que nos lleva a una vida más plena.

Esa tarde, al salir del taller, sentí una renovada sensación de propósito. Los desafíos seguían allí, pero mi perspectiva había cambiado. Ya no eran enemigos, sino pruebas doradas, oportunidades disfrazadas esperando ser descubiertas.

Estoicismo Cotidiano Moderno

El mundo moderno avanza a un ritmo vertiginoso. Las luces de las pantallas, las notificaciones constantes y la presión de una sociedad en constante cambio pueden hacer que nos sintamos abrumados, desconectados y, en ocasiones, perdidos. Pero en medio de este torbellino, las enseñanzas del estoicismo, una filosofía milenaria, resurgen como un faro, guiándonos hacia un camino de paz, entendimiento y autorealización.

A lo largo de este viaje, hemos explorado juntos siete lecciones vitales:

1. **El Secreto del Guerrero en Calma:** Aprendimos la importancia de mantener la serenidad ante los embates de la vida y cómo, en medio de la tormenta, nuestra mente puede ser nuestro mayor refugio.
2. **El Poder del Instante Eterno:** Descubrimos que el verdadero poder reside en el presente y que, al centrarnos en el ahora, podemos encontrar claridad y propósito.

3. **El Susurro de las Arenas de Tiempo:** Reflexionamos sobre l fugacidad de la vida y cómo, co esta perspectiva, podemos da prioridad a lo que realment importa.
4. **El Bastión Interior:** Fortalecimo nuestra resiliencia interio entendiendo que somos más fuerte y capaces de lo que a vece creemos.
5. **Tras las Máscaras del Mundo** Aprendimos a ver más allá de la apariencias, conectand genuinamente con los demás encontrando empatía en los lugare más inesperados.
6. **El Espejo del Alma:** Nc enfrentamos a nosotros mismos co honestidad, abrazando nuestra imperfecciones y celebrando nuestr crecimiento.
7. **El Laberinto de las Prueba Doradas:** Reconocimos que cac desafío, por difícil que parezca, e una oportunidad disfrazada, u regalo que nos permite evoluciona y fortalecernos.

El estoicismo no es solo una filosofía de estudio, es una filosofía de vida. No busca que evitemos las emociones, sino que las comprendamos y las manejemos. No nos dice que rechacemos el mundo moderno, sino que lo abordemos con sabiduría, equilibrio y comprensión.

Así que, al cerrar este libro, no termina nuestro viaje. En realidad, acaba de comenzar. La vida nos presentará nuevas pruebas, oportunidades y enseñanzas. Pero con las herramientas y la perspectiva que el estoicismo nos brinda, estamos preparados para enfrentar lo que sea que nos depare el mañana.

Que cada día sea una oportunidad para vivir con propósito, con pasión y con la paz que proviene de conocer y comprender nuestro lugar en este vasto y maravilloso universo.

Gracias por acompañarme en este viaje. Ahora, es tu turno de tomar las riendas y escribir tu propia historia. Recuerda las palabras de Séneca: "No es que tengamos poco tiempo, sino que perdemos mucho".

Secretos de la Programación Neurolingüística

PNL, Coaching, Inteligencia Emocional, Influencia, Persuasión e Hipnosis Para las Ventas

Roberto de los Bosques

Introducción

Bienvenido a un viaje transformador donde las palabras no son solo herramientas de comunicación sino llaves maestras que abren mentes y corazones. "Secretos de la Programación Neurolingüística: PNL, Coaching, Inteligencia Emocional, Influencia, Persuasión e Hipnosis Para las Ventas" no es solo un título; es una promesa de cambio, un mapa hacia la maestría en el arte de las ventas y la comunicación humana.

Si este libro ha caído en tus manos, es probable que estés buscando algo más que técnicas y tácticas de venta: estás buscando una transformación profunda en la forma en que te conectas, comunicas y cierras acuerdos. Tal vez eres un vendedor experimentado que busca ese borde competitivo, o quizás estés comenzando y quieras construir una base sólida desde la cual lanzar tu carrera. Independientemente de tu nivel o experiencia, aquí encontrarás secretos que muchos han sospechado pero pocos han podido articular y aplicar.

La Programación Neurolingüística (PNL) es más que una colección de técnicas: es un enfoque de la comunicación y del desarrollo personal que permite una comprensión más profunda de la mente humana. Es el estudio de cómo organizamos nuestros pensamientos,

sentimientos, lenguaje y comportamiento
para producir los resultados que obtenemos
La PNL ofrece modelos, técnicas y estrategia
para desarrollar la excelencia en todos lo
ámbitos de la vida, y en este caso, te guiar
hacia la excelencia en ventas.

El coaching se entrelaza con la PNL
ofreciendo un marco para el descubrimient
personal, la reflexión y la toma de acción.
través del coaching, aprenderás a hacer la
preguntas correctas, no solo a tus cliente
sino también a ti mismo. El autocoaching t
permitirá superar barreras y alcanzar u
rendimiento óptimo.

La Inteligencia Emocional es la esencia de l
conexión humana y la persuasión. Aq
exploraremos cómo gestionar y utilizar la
emociones para fomentar la confianza y l
autenticidad en las relaciones de ventas.

La influencia y la persuasión son a menud
malinterpretadas y asociadas con
manipulación, pero en este texto, revelarem
cómo influir de manera ética y persuadir c
integridad, construyendo relaciones durader
y beneficiosas para todas las part
involucradas.

Finalmente, la hipnosis, especialmente e
su forma conversacional, te enseñará a utiliz
el lenguaje de manera que despierte la men
subconsciente, fomentando un estado

apertura y aceptación en tus clientes.

Estás a punto de embarcarte en un proceso que te llevará a lo profundo de la psique humana, a las raíces del comportamiento y la toma de decisiones, y de vuelta a la superficie con habilidades que parecerán casi mágicas en su eficacia. No se trata de trucos o atajos, sino de comprender y aplicar principios profundos de la experiencia humana.

Avanza con mente abierta y corazón dispuesto a aprender, y las páginas que siguen transformarán no solo cómo vendes, sino cómo ves el mundo y a ti mismo dentro de él. La maestría en ventas es un reflejo de la maestría en la vida, y todo comienza aquí. Bienvenido a "Secretos de la Programación Neurolingüística para las Ventas". Estás a punto de desbloquear tu potencial como nunca antes.

Prólogo: La Alquimia de las Palabras y la Mente en las Ventas

En un mundo saturado de estímulos, dond las voces de innumerables vendedores s entrelazan en un cacofónico coro de ofertas promesas, surge una pregunta esencial ¿cómo puede uno no solo ser escuchado, sin también persuadir, influir y conecta verdaderamente con otra persona? Este libr es la respuesta a ese enigma, el destilado d una verdad fundamental: la verdader alquimia en las ventas reside en la fusión d las palabras y la mente.

Durante siglos, los alquimistas buscaro transformar los metales base en oro, u proceso misterioso que pretendía no solo transmutación de elementos, sino también purificación del alma. Aunque no trabajamo en laboratorios antiguos ni manejamo elixires, como vendedores y comunicadore somos los alquimistas modernos. Nuestro materiales no son plomo ni mercurio, sir palabras, gestos, expresiones; y nuest objetivo es transformar la indiferencia e interés, el escepticismo en confianza, y la oportunidades en logros.

Este libro es un crisol donde las disciplin de la Programación Neurolingüística, coaching, la inteligencia emocional, influencia, la persuasión y la hipnosis se funden para revelar métodos de comunicación y venta tan potentes como los antiguos sueños de transmutación. Pero aquí no hay magia oscura, solo el uso consciente y ético de herramientas que nos brinda el conocimiento humano para forjar relaciones genuinas y duraderas.

La venta, en su forma más pura, es un acto de comunicación. No es simplemente el intercambio de bienes y servicios por valor monetario; es el intercambio de ideas, de emociones, de visiones del mundo. Cuando entendemos esto, entendemos que vender es compartir una parte de nosotros mismos. Es nuestra visión, nuestra pasión, y, en última instancia, nuestro arte.

A lo largo de las páginas que siguen, exploraremos cómo el entendimiento y la aplicación práctica de la Programación Neurolingüística pueden ampliar nuestras capacidades comunicativas, cómo las técnicas de coaching pueden desentrañar los deseos y necesidades más profundos, cómo el cultivo de la inteligencia emocional puede abrir puertas que parecían cerradas para siempre, cómo la influencia y la persuasión pueden ser utilizadas de manera constructiva y ética, y cómo la hipnosis puede enseñarnos a comunicarnos con la parte más receptiva de la psique humana.

Te invito a sumergirte en este conocimiento ancestral y contemporáneo, a dejar de lado prejuicios y a abrazar la complejidad y belleza de la comunicación humana en su forma más refinada. Que las estrategias y principios que encuentres aquí sirvan no solo para enriquecer tu carrera profesional, sino también para enriquecer la profundidad de tus interacciones humanas.

La alquimia está lista para comenzar. Que las palabras y la mente sean tus metales, y que la maestría en las ventas sea tu oro. Bienvenido al laboratorio donde se forjan los grandes maestros de la comunicación y la venta. Bienvenido a la transformación.

Capítulo 1: ¿Qué te han contado ya sobre la PNL que podría no ser verdad?

Es curioso cómo la verdad puede, a veces, ser tan maleable como la arcilla en manos de un artista. La Programación Neurolingüística (PNL) ha sido amasada y remodelada en tantas formas que encontrar su esencia puede parecer una tarea hercúlea. Te han dicho, quizás, que la PNL es una especie de magia cerebral, una manera de manipular o un conjunto de tácticas de influencia casi místicas. Te han contado que es un billete de ida hacia el éxito infalible en ventas, relaciones y todo lo que te propongas. Pero, ¿qué si te digo que la mayoría de estas afirmaciones son, en el mejor de los casos, malentendidos, y en el peor, mitos deliberadamente propagados?

La PNL comenzó como una búsqueda de patrones de excelencia. Nació del deseo de entender cómo ciertas personas lograban resultados extraordinarios y de replicar esas estrategias para que otros pudieran beneficiarse de ellas. En este noble comienzo, no había trucos ni espejismos, solo una profunda curiosidad por el lenguaje y la percepción humana.

Vamos a desmitificar juntos algunos de los conceptos erróneos más comunes.

El Mito de la Manipulación

Primero, la PNL no es una herramienta d manipulación. Aquellos que la han usado co esta intención han malinterpretado s propósito. La PNL, cuando se entiende y s aplica correctamente, es un proceso d comunicación auténtica, de sintonización co los demás y de entender la estructur subyacente de nuestras experiencia subjetivas. No se trata de controlar a lo demás, sino de comprender y conectar co ellos a un nivel más profundo.

La Varita Mágica del Éxito

Segundo, la PNL no es una varita mágic No garantiza el éxito con solo chasquear lo dedos. Lo que ofrece son técnicas estrategias que requieren práctica, ajustes una comprensión profunda de los contextos e los que se aplican. La excelencia, ya sea e ventas o en cualquier otro campo, no viene d la mano de un solo método, sino d sinergismo entre habilidades, actitudes y, po supuesto, técnicas efectivas.

La Certificación como Fin Último

Tercero, una certificación en PNL no te convierte automáticamente en un experto. Así como tener un pincel no te hace pintor, el dominio viene con la aplicación y la experiencia. La PNL es una experiencia vivencial, y su verdadero poder reside en la práctica reflexiva, en la disposición a aprender de cada interacción y en la adaptación constante a nuevos aprendizajes.

La PNL como Ciencia Inquebrantable

Cuarto, la PNL no es una ciencia en el sentido estricto. Aunque tiene raíces en la lingüística y la psicología, es más adecuado verla como un conjunto de modelos y presupuestos para facilitar el cambio y la comunicación. No posee la infalibilidad de las leyes de la física, pero su flexibilidad es precisamente lo que permite su aplicación creativa.

La PNL y las Ventas: Una Relación Directa

Finalmente, en ventas, la PNL no es solo

una técnica para cerrar tratos. Es mucho más Es una forma de entender las necesidades deseos del cliente, de construir relacione basadas en la confianza y la autenticidad, y d presentar tus productos o servicios de maner que resuene con la visión y los valores de cliente.

Entonces, ¿qué es realmente la PNL? Es u viaje de descubrimiento, un conjunto d herramientas para desentrañar la complejida de la experiencia humana y un marco par mejorar cómo nos comunicamos, cóm pensamos y cómo vivimos. A lo largo de est libro, vamos a explorar cómo aplica genuinamente la PNL en ventas y en la vida alejados de mitos y cerca de resultado tangibles.

Avancemos ahora, con mente abierta y co el mito desenmascarado, hacia ur comprensión más clara y una aplicación má efectiva de la PNL en el siguiente capítul donde descubriremos el verdadero poder d lenguaje corporal.

Capítulo 2: ¿Cómo Puede el Coaching Abrir Puertas Que la Lógica No Puede?

El Poder del Coaching en el Mundo Comercial

Cuando pensamos en ventas, a menudo nos imaginamos argumentos lógicos diseñados para convencer. Presentamos características, ventajas y beneficios esperando que la razón guíe a nuestros clientes hacia una decisión de compra. Pero, ¿qué pasa si te dijera que hay un camino menos transitado, pero más efectivo, escondido en las artes del coaching?

En este capítulo, exploraremos cómo las técnicas de coaching, tradicionalmente reservadas para el desarrollo personal y profesional, tienen un poder sin explotar en el terreno comercial. El coaching se centra en el potencial humano, buscando despertar recursos internos y motivaciones profundas. En las ventas, esto se traduce en la habilidad de ir más allá de la superficie de lo que los clientes dicen que quieren, para tocar el núcleo de sus verdaderos deseos y necesidades.

La lógica puede abrir puertas, pero el coaching puede construir puentes. Puentes que conectan no solo productos con clientes, sino corazones con mentes, sueños con realidades. Aprenderemos cómo adoptar la postura de un coach para transformar cada interacción de venta en un diálogo revelador y trascendente, uno que haga eco en los rincones más remotos de la psique de un cliente.

Creando Puentes Invisibles con Preguntas Poderosas

Las preguntas son el alma del coaching. No cualquier pregunta, sino aquellas que desafían supuestos, que abren espacio para la reflexión, que invitan a la imaginación a jugar. Estas preguntas poderosas son la herramienta preferida del coach, y pueden serlo también del vendedor maestro.

En la sección "Creando Puentes Invisibles con Preguntas Poderosas", nos sumergiremos en el arte de formular preguntas que revelen no solo lo que un cliente piensa que necesita sino también lo que no sabe que necesita. A través de ejemplos reales y ejercicios prácticos, descubrirás cómo diseñar preguntas que lleven a tus clientes a tener insights, a visualizar el impacto de tus productos servicios en su vida de manera visceral emocional.

Este capítulo no solo te enseñará a vender con más eficacia; cambiará la manera en que piensas sobre la comunicación y la conexión humanas. Prepara tu mente y tu pluma porque las puertas que abrirás con el coaching no requerirán llave, sino solo la valentía q preguntar y la paciencia de escuchar. Bienvenido al mundo donde la lógica se encuentra con la empatía y donde las ventas se convierten en una forma de servicio genuino y transformador.

Capítulo 3: ¿Qué No Sabes Sobre la Inteligencia Emocional Que Está Saboteando Tus Ventas?

Decodificando las Emociones en el Juego de Vender

Hablemos de un idioma universal qu muchos vendedores aún no domina completamente: el lenguaje de las emociones No es ningún secreto que las emocione juegan un papel crucial en las decisiones d compra de los clientes, pero ¿estás realment atento a todas las señales emocionales que s presentan durante una venta?

En la dinámica de vender, cada gesto, cad palabra y cada pausa del cliente está cargad de información valiosa. Para decodificar esta señales, necesitas más que intuición requieres una mezcla de observació consciente y conocimiento psicológic Identifica y comprende las emociones qu subyacen detrás de las expresiones faciales, postura corporal y los matices del lenguaj Esta habilidad te permitirá no sólo anticipar atender las necesidades de tus clientes sir también construir una relación de confianza credibilidad.

Practica y conviértete en un experto en interpretar el rico vocabulario de las emociones humanas, una competencia que incrementará significativamente tu capacidad para conectar con tus clientes y cerrar ventas de manera efectiva.

Emociones en Acción: Estrategias de Inteligencia Emocional para Vendedores

Una vez que hemos decodificado el espectro emocional de nuestros interlocutores, es momento de actuar. Las emociones en acción no se tratan de manipulación, sino de alinear tus objetivos de venta con las necesidades emocionales del cliente. Esta sección te brindará estrategias concretas para aplicar tu inteligencia emocional de manera efectiva en cada paso del proceso de venta.

Aplicar la inteligencia emocional en el proceso de ventas es tanto un arte como una ciencia. Aquí te presento algunas estrategias concretas que puedes aplicar en cada etapa del proceso de venta para utilizar la inteligencia emocional de manera efectiva:

1. Preparación y Acercamiento Inicial
Autoconciencia: Antes de acercarte a un cliente, haz un chequeo emocional. ¿Cómo te

sientes hoy? ¿Estás proyectando una actitu positiva? Recuerda, tus emociones puede contagiar a tus clientes, así que comienza co una nota alta.

Regulación Emocional: Si detecta emociones negativas en ti, utiliza técnicas d respiración o visualización para llegar a u estado neutro o positivo.

2. Establecimiento de la Conexión

Empatía Activa: Al conocer a tu client escucha activamente no solo lo que dice, sin cómo lo dice. La empatía te ayudará entender mejor las necesidades preocupaciones subyacentes.

Espejo Emocional: Adapta tu lenguaj corporal y tono de voz para reflejar y reson con los del cliente, creando una conexió subconsciente.

3. Identificación de Necesidades

Preguntas Emocionalmente Inteligente Formula preguntas que inviten al cliente expresar sus emociones respecto a s necesidades o problemas actuales. P ejemplo: "¿Qué es lo que más te frustra de situación actual?"

Validación: Haz saber al cliente q comprendes y validas sus emociones, lo cu crea confianza y apertura.

4. Presentación de la Solución

Alineación Emocional: Presenta tu producto o servicio de una manera que se alinee con el estado emocional del cliente. Si está frustrado con un problema, enfatiza cómo tu solución alivia esa frustración.

Historias y Metáforas: Usa historias y metáforas cargadas de emoción para ilustrar cómo tu producto ha ayudado a otros en situaciones similares.

5. Manejo de Objeciones

Escucha y No Reacciones: Cuando surjan objeciones, escucha con empatía y no reacciones de forma defensiva. Reconoce la preocupación del cliente y utiliza la inteligencia emocional para abordarla.

Reformulación Positiva: Utiliza el "reframing" para cambiar objeciones en oportunidades, manteniendo siempre un tono positivo.

6. Cierre de la Venta

Confianza y Calma: Mantén una actitud de confianza y calma, lo que tranquiliza al cliente. Si estás nervioso, el cliente lo percibirá.

Confirmación Emocional: Antes de cerrar, confirma que has abordado todas las emociones y preocupaciones del cliente para que se sienta seguro en su decisión.

7. Seguimiento Postventa

Agradecimiento Genuino: Expresa gratitu sincera hacia el cliente por su negocio, lo cua fortalece la relación.

Revisión Emocional: Realiza un seguimient para evaluar la satisfacción emocional de cliente con la compra y el proceso.

Ejercicios y Técnicas Prácticas:

Role-playing: Practica escenarios de vent con un colega para afinar tus habilidades d empatía y respuesta emocional.

Diario Emocional: Lleva un diario de tu interacciones con los clientes para analizar mejorar tu inteligencia emocional.

Entrenamiento en Microexpresiones: Us software o cursos para aprender a reconocer responder a las microexpresiones faciales.

Implementar estas estrategias de maner consciente y consistente te ayudará establecer una conexión más profunda con tu clientes y, en consecuencia, a mejorar tu resultados en ventas. Con la práctica, esta acciones se convertirán en una segund naturaleza, haciendo que cada interacción co el cliente sea más fluida y exitosa.

Este enfoque revolucionario integra inteligencia emocional en tu práctica de venta diaria, potenciando no sólo tus resultado sino también la satisfacción y lealtad de tu clientes. Prepárate para descubrir el pode oculto detrás de las emociones y cómo este conocimiento puede ser el ingrediente que ha faltado en tu receta para el éxito.

Capítulo 4: ¿Puede la Influencia Ser Invisible y Aún Así Ética?

La influencia, un concepto a menudo malinterpretado como manipulación, puede ser de hecho una herramienta poderosa y ética cuando se aplica con integridad. Este capítulo desvela cómo ejercer una influencia positiva, manteniendo la moral y la ética en el centro de nuestras acciones.

Los Principios de la Influencia Aplicados con Integridad

La Reciprocidad como Base de la Conexión Humana

La reciprocidad no es una táctica, sino una parte intrínseca de la interacción humana. Cuando ofrecemos valor genuino, sin esperar nada a cambio, a menudo se nos devuelve de manera natural y espontánea. Es un principio de dar primero para recibir después, pero siempre desde la autenticidad y el deseo sincero de ayudar.

La Coherencia en Nuestro Discurso y Actos

Ser coherente entre lo que decimos y hacemos construye credibilidad. La influencia nace de la confianza, y la confianza nace de una coherencia inquebrantable. Cuando nuestros valores están alineados con nuestras acciones, influenciamos naturalmente a través del ejemplo.

La Autoridad Construida Sobre la Experiencia y el Respeto

La autoridad genuina surge del conocimiento, la experiencia y la habilidad de comunicarse con respeto. No se trata de imponer ideas, sino de compartir sabiduría con la autoridad que otorga el conocer realmente un tema y tener la empatía de entender al otro.

La Escasez Basada en la Veracidad

La escasez debe ser una situación real y no una estrategia de venta. Si un producto es limitado, es ético comunicarlo, pero crear una falsa escasez para presionar es cruzar una línea. La influencia ética significa respetar la verdad y las decisiones del otro.

El Arte de Influir Sin Manipular

La Influencia a Través del Escuchar Activo

El acto de influir comienza con la capacida de escuchar. Un influenciador ético escuch para entender, no para responder. En e silencio de nuestra escucha activa, otorgamo espacio para que el otro se sienta visto escuchado, lo cual es una influencia poderos por sí misma.

El Refuerzo Positivo y e Reconocimiento

El refuerzo positivo y el reconocimient genuino de las acciones y decisiones de la personas pueden influir en su comportamient futuro. Celebrar los pequeños triunfos de lo demás les motiva a seguir adelante y mejor su autoestima, lo que es una forma ética d influenciar.

La Empatía Como Herramient de Influencia

La empatía nos permite conectarnos con la emociones de los demás. Cuanc demostramos que comprendemos compartimos sus sentimientos, influim naturalmente, pues generamos un laz emocional que es difícil de ignorar.

Conclusiones: La Ética en la Influencia

Influir de manera invisible no significa ser subrepticio, sino ser sutil y respetuoso. La verdadera influencia se da en el intercambio honesto, en el dar sin la expectativa de recibir, y en el respeto profundo por la autonomía del otro. En este acto de balance, donde nuestra influencia es indirecta pero poderosa, reside la máxima expresión de la ética comercial.

En este capítulo hemos explorado cómo la influencia, lejos de ser una herramienta de manipulación, puede ser una extensión de nuestras mejores intenciones y prácticas éticas. Al final, influir éticamente es contribuir positivamente al desarrollo de los demás, y por ende, al nuestro propio.

Capítulo 5: ¿Es la Persuasión Una Ciencia o U Arte?

La persuasión ha sido un enigma que ha cautivado a filósofos, científicos y artistas po igual. A menudo, nos encontramos preguntándonos si este es un campo d precisión matemática o de inspiración creativa En este capítulo, exploraremos la dimensiones tanto científicas como artística de la persuasión y cómo estas se entrelaza en el mundo de las ventas.

Tácticas de Persuasión: Más Allá de la Teoría

La Psicología detrás de la Persuasión

Científicamente, la persuasión se ancla e principios psicológicos que afectan la toma d decisiones. Examinamos cómo concepto como el principio de autoridad, el compromiso la coherencia y la prueba social funcionan e el cerebro humano y cómo se pueden aplica de manera práctica para mejorar nuestr habilidad de persuadir.

Los Datos y su Poder Persuasivo

En la era del big data, la persuasión también puede ser increíblemente científica. La capacidad de analizar y presentar datos de manera que resuenen con nuestro público es una habilidad crucial. Hablaremos sobre cómo usar la información y los hechos para construir argumentos persuasivos sólidos.

El Poder de la Narrativa en la Persuasión de Ventas

Contar Historias que Resuenen

Por otro lado, la narrativa es un arte. La habilidad de contar una historia que enganche, que movilice emociones y que lleve al oyente a un viaje es tan poderosa como cualquier dato. Aquí se revela cómo crear y relatar historias que no solo informen, sino que también inspiren y motiven a la acción.

La Conexión Emocional en la Persuasión

La emoción es el corazón del arte persuasivo. Exploramos cómo conectar emocionalmente con nuestra audiencia puede ser la llave para desbloquear su disposición a ser persuadidos. Aprenderemos a leer y responder a las emociones para alinea nuestro mensaje de una forma que sea tant auténtica como influyente.

Conclusiones: El Equilibri entre Ciencia y Arte

En conclusión, la persuasión no se inclin completamente ni hacia la ciencia ni hacia e arte; más bien, se sitúa en el limbo entr ambos. Un persuasor hábil es aquel qu entiende las leyes psicológicas que rigen l influencia y las emplea con la gracia creatividad de un artista. Las tácticas y la historias no son elementos opuestos sin complementarios que, cuando se usan e conjunto, pueden llevar nuestras habilidade de ventas a nuevas alturas.

El entendimiento de la persuasión como u híbrido entre ciencia y arte nos proporciona u marco poderoso para abordar las ventas c manera más holística. Nos permite no sol comprender el 'qué' y el 'cómo', sino tambié el 'por qué' detrás de las decisiones c nuestros clientes, y nos equipa para abord sus necesidades y deseos de una manera m completa y satisfactoria.

Capítulo 6: ¿Cómo Transformar la Hipnosis en Tu Mejor Herramienta de Ventas?

Al mencionar la hipnosis, es común que la mente se transporte a imágenes de relojes oscilantes y estados de trance profundos. Sin embargo, lejos de los escenarios teatrales, existe una aplicación práctica y ética de la hipnosis en el mundo de las ventas: la hipnosis conversacional. Este capítulo está dedicado a desmitificar la hipnosis y a mostrar cómo sus principios pueden ser utilizados para mejorar la comunicación y la persuasión en el ambiente comercial.

Hipnosis Conversacional: El Arte Sutil de la Sugerencia

Definiendo la Hipnosis Conversacional

La hipnosis conversacional es una técnica de comunicación que busca dirigir sutilmente el pensamiento del interlocutor hacia una idea o concepto específico, sin que este sea consciente de esa influencia. Es el arte de hacer sugerencias de una manera que parezca completamente natural dentro del flujo de la conversación.

Principios de la Sugerencia

Aquí exploramos los principios básicos de l
sugestión hipnótica, como la importancia de l
empatía, el uso de palabras clave, y cómo e
tono y ritmo del lenguaje pueden alterar l
receptividad del interlocutor. Describimo
cómo se puede calibrar una conversación par
crear un ambiente de aceptación y cómo la
técnicas de espejo y rapport pueden fortalece
la conexión con el cliente.

Técnicas Hipnóticas Aplicada a la Estrategia de Ventas

Técnicas de Anclaje

Una técnica poderosa de la hipnosis es
anclaje, donde se crean asociaciones ent
estados emocionales y estímulos externos
internos. Aplicaremos este concepto pa
ayudar a los clientes a conectar emocion
positivas con el producto o servicio que
ofrece.

Patrones de Lenguaje Hipnótico

Discutiremos cómo usar patrones
lenguaje que induzcan a la reflexión, inspir
imaginación y conduzcan al cliente a visualiz
el resultado deseado. Estos patrones pued

ser utilizados para reforzar los beneficios del producto y alinearlos con las necesidades del cliente. Los patrones de lenguaje son herramientas poderosas en el proceso de venta. Aquí te presento algunas estrategias clave que puedes implementar para lograrlo:

1. Utilizar el Lenguaje Sensorial

Para que un cliente pueda visualizar un resultado deseado, debes hablar en un lenguaje que evoque los sentidos. Utiliza descripciones visuales, sonoras y táctiles para crear una imagen rica y detallada del futuro con tu producto o servicio. Por ejemplo:

Visual: "Imagina cómo este nuevo diseño de oficina, con sus colores vivos y espacios abiertos, energizará cada mañana tu equipo de trabajo."

Auditivo: "Escucha la satisfacción de tus clientes cuando descubran las nuevas funcionalidades de tu servicio."

Kinestésico: "Siente la tranquilidad de saber que estás utilizando una tecnología que te ahorra tiempo y esfuerzo cada día."

2. Preguntas Poderosas

Las preguntas son una forma efectiva de dirigir la mente. En lugar de decirle al cliente lo que debería pensar o sentir, haz preguntas que le hagan imaginar escenarios positivos:

"¿Cómo crees que este cambio puede mejorar tu rutina diaria?"
"¿Qué impacto tendría para ti alcanzar este nivel de eficiencia?"

3. Metáforas y Analogías

Las metáforas y las analogías son una excelente manera de relacionar tu producto o servicio con algo que el cliente ya entiende o valora, facilitando la comprensión y la proyección:

"Trabajar con este software es como tener un GPS para la gestión de proyectos; te guía en cada paso hacia tu destino final: el éxito del proyecto."

4. Estructuras de Lenguaje Hipnótico

Incorpora estructuras de lenguaje que inducen estados de reflexión más profundos, como las presuposiciones y los patrones de Milton. Estos patrones, nombrados en honor a Milton Erickson, son frases que asumen una verdad subyacente que el cliente tiende a aceptar sin cuestionar:

"Cuando empieces a usar nuestro sistema, te sorprenderá lo fácil que resulta alcanzar tus objetivos."

5. Historias y Testimonios

Nada es más poderoso que una buena historia. Compartir anécdotas de clientes satisfechos o crear una narrativa alrededor del producto puede ser más persuasivo que los datos duros:

"Déjame contarte sobre Ana, quien, como tú, buscaba mejorar la productividad de su equipo. Una vez que implementó nuestra solución, no solo mejoró la productividad en un 25%, sino que también vio cómo mejoraba el ambiente laboral."

Cada uno de estos elementos puede usarse de manera individual o combinada para crear un diálogo que no solo informe al cliente sobre los beneficios del producto o servicio, sino que también lo involucre emocional y mentalmente, llevándolo a un estado donde pueda ver, sentir y experimentar los beneficios de forma casi tangible antes de tomar una decisión de compra.

Conclusiones: Ética y Efectividad en la Hipnosis de Ventas

Concluir este capítulo requiere un énfasis en la ética. La hipnosis en las ventas no se trata de manipular, sino de comunicar de una manera que sea más resonante y significativa para el cliente. Al entender y aplicar estas técnicas con responsabilidad, los vendedores pueden mejorar la calidad de sus interacciones

y ayudar a sus clientes a tomar decisiones qu
sean beneficiosas para todas las parte
involucradas.

La hipnosis, entonces, se presenta no com
un acto de dominación, sino como un refinad
instrumento de comunicación. Al dominar l
hipnosis conversacional, los vendedores abre
la puerta a un nivel de influencia má
profundo, basado en la comprensión, l
confianza y el acuerdo mutuo, transformand
cada interacción de venta en una experienci
única y enriquecedora tanto para el vendedo
como para el cliente.

Capítulo 7: ¿Qué Narrativa Personal Está Definiendo Tu Éxito o Fracaso en Ventas?

La Historia que Te Cuentas y Cómo Reescribirla

En el núcleo de nuestras vidas, tanto personales como profesionales, yacen las historias que nos contamos a nosotros mismos. Estas narrativas internas pueden fortalecer nuestras habilidades de venta o sabotear cada paso dado hacia el éxito. La Programación Neurolingüística (PNL) nos enseña que los guiones mentales que seguimos tienen el poder de formar nuestra realidad. En este apartado, descubrirás cómo identificar la narrativa que actualmente dirige tu desempeño en ventas y aprenderás técnicas para transformar ese relato interno de uno que te limita a uno que te empodera.

¿Es tu narrativa actual una de autoconfianza, en la que eres el protagonista capaz de superar obstáculos y cerrar ventas? O ¿es una de duda y temor, donde cada rechazo refuerza la idea de incapacidad o de estar destinado al fracaso? Te mostraré cómo mapear tu narrativa personal y te daré las herramientas para reescribir cualquier historia limitante.

Para mapear tu narrativa personal, debe convertirte en un observador de tus propio pensamientos y comportamientos. Aquí tiene un proceso paso a paso para hacerlo:

Paso 1: Identifica tu narrativa actual

Reflexiona: Tómate un tiempo par reflexionar sobre tus pensamiento recurrentes acerca de tus habilidades d venta.
Escribe: Lleva un diario durante un semana y anota los pensamientos que surge justo después de una interacción de vent especialmente si no tuvo el resultado deseadc
Analiza: Después de la semana, lee tu notas y busca patrones. ¿Qué frases o idea se repiten?

Paso 2: Cuestiona la narrativa

Desafía: Para cada pensamiento limitant pregúntate: "¿Es esto realmente cierto?" "¿Qué pruebas tengo de que esto no es ma que un pensamiento y no una realidad fija?"
Contrasta: Confronta estos pensamient con experiencias pasadas donde hayas tenic éxito. ¿Cómo se alinean esos éxitos con narrativa actual?

Paso 3: Define tu nueva narrativa

Visualiza: Imagina la narrativa ideal que gustaría tener. ¿Cómo hablaría sobre sí mism un vendedor exitoso?

Formula: Escribe afirmaciones que reflejen esta nueva historia. Por ejemplo, "Yo soy un vendedor competente y cada rechazo me acerca al próximo sí".

Paso 4: Integra la nueva narrativa

Repite: Usa las afirmaciones diariamente. Dílas en voz alta frente al espejo, medita sobre ellas, haz que sean lo primero en lo que pienses por la mañana y lo último antes de dormir.

Actúa: Empieza a actuar como lo haría el protagonista de tu nueva narrativa. Si un vendedor exitoso se prepara meticulosamente, comienza a hacerlo. Si maneja el rechazo con gracia, practica eso.

Herramientas Para Reescribir Historias Limitantes

Técnica de Anclaje en PNL: Esta técnica te permite asociar un estado emocional positivo con un gesto físico. Cada vez que necesites un impulso de confianza, puedes realizar este gesto para invocar esa sensación.

Visualización Creativa: Dedica unos minutos al día para visualizar tus éxitos futuros en ventas. Imagina la interacción completa, desde el inicio hasta el cierre exitoso, sintiendo la satisfacción que esto conlleva.

Diálogo Interno Constructivo: Cambia tu diálogo interno de crítico a uno de apoyo. Cada vez que un pensamiento negativo surja, reemplázalo inmediatamente por uno positivo.

Modelado en PNL: Identifica a una persona que sea un modelo a seguir en ventas y estudia cómo se comporta, qué dice y cómo interactúa con los clientes. Intenta "modelar" estas acciones y actitudes en tu propia conducta.

Recuerda, el cambio no ocurre de la noche a la mañana. Será necesario compromiso y práctica. Pero con estas herramientas y técnicas, podrás empezar a reescribi cualquier narrativa limitante y avanzar hacia una versión más exitosa y empoderada de ti mismo como vendedor.

PNL y Autohipnosis para el Empoderamiento Personal

La autohipnosis y la PNL pueden ser dos de tus aliados más potentes para el cambio personal. Estas técnicas te permiten acceder tu subconsciente y reprogramar las creencias y patrones de pensamiento que te han estad frenando. En esta sección, profundizaremos e métodos específicos de PNL para modelar l excelencia y técnicas de autohipnosis par anclar estados emocionales positivos productivos.

Exploraremos cómo puedes utilizar la visualización, la afirmación y el diálogo interno para establecer una base sólida de autoconfianza y resiliencia. Estas prácticas no solo impactarán la forma en que te aproximas a las ventas, sino que también transformarán la manera en que te percibes a ti mismo y a tu lugar en el mundo de los negocios.

Utilizando Visualización, Afirmación y Diálogo Interno para Construir Autoconfianza y Resiliencia:

Para establecer una base sólida de autoconfianza y resiliencia mediante la visualización, la afirmación y el diálogo interno, es fundamental desarrollar una práctica consistente. Aquí te guío a través de un proceso que puedes seguir:

Visualización

Crea un Espacio Tranquilo: Busca un lugar donde no serás interrumpido y puedas relajarte completamente.

Enfoca tu Meta: Cierra los ojos e imagina una versión de ti mismo que ya ha alcanzado sus metas de ventas. Visualiza no solo el éxito final, sino también los pasos que tomaste para llegar allí.

Incorpora Sensaciones: Asegúrate de involucrar todos tus sentidos. ¿Cómo se siente la firma de un contrato importante? ¿Cómo suena la voz de un cliente satisfecho?

Repite: Dedica tiempo todos los días a est práctica. La constancia fortalecerá la conexiones neuronales asociadas con l confianza y el éxito.

Afirmación

Escribe tus Afirmaciones: Crea afirmacione positivas que sean específicas, en tiemp presente y que resonen contig personalmente. Por ejemplo: "Yo soy capaz cada día mis habilidades de venta mejoran."

Integración Diaria: Repite tus afirmacione cada mañana y cada noche. Hacerlo frente espejo puede aumentar el efecto.

Refuerza con Acción: Cada vez que diga una afirmación, realiza un pequeño acto que refleje. Por ejemplo, después de afirmar t habilidad de ventas, haz una llamada c seguimiento o mejora tu presentación c ventas.

Diálogo Interno

Observa: Nota cuando tu diálogo interr sea negativo. ¿Qué situaciones lo disparan?

Interrumpe y Cambia: Cada vez que sorprendas pensando negativamente, deten y reformula el pensamiento en algo positivo.

Diálogo de Apoyo: Habla contigo mism

como lo harías con un amigo que necesite aliento. Usa palabras amables y de apoyo.

Refuerza con Evidencia: Recuerda tus éxitos pasados cuando el diálogo interno se vuelva desalentador. Usa esos recuerdos para argumentar contra la duda y el miedo.

Construyendo la Resiliencia

Enfrenta Desafíos Pequeños: Empieza por superar pequeñas adversidades de manera consciente. Esto te preparará para manejar desafíos mayores.

Aceptación: Aprende a aceptar que el rechazo y el fracaso son parte del proceso de crecimiento y desarrollo en ventas.

Conexiones Positivas: Rodearte de personas positivas y constructivas puede fortalecer tu resiliencia.

Recordatorios Finales

La consistencia es clave. Estas prácticas deben convertirse en hábitos.

La paciencia es esencial. La confianza y la resiliencia crecen con el tiempo.

La perseverancia a través de los contratiempos construirá la resiliencia como ninguna otra cosa.

Implementa estas prácticas en tu vida diaria y poco a poco notarás cómo se fortalece tu autoconfianza y cómo desarrollas una resiliencia que te apoya en cada paso de tu camino hacia el éxito en ventas.

Prepárate para embarcarte en un viaje d autoconocimiento y cambio. Al final de est capítulo, habrás dado los primeros pasos par desbloquear tu máximo potencial y redirigir t historia hacia una de éxito continuo realización personal en el campo de la ventas. La pregunta esencial que debe hacerte ahora es: ¿Estás listo para ser el autc de tu propio éxito?

Capítulo 8: ¿Pueden unos Simples Cambios en Tu Lenguaje Corporal Redefinir Tu Influencia?

El Lenguaje del Cuerpo en la Negociación y la Venta

El lenguaje corporal es nuestro aliado silencioso o nuestro detractor inadvertido en cada interacción. En el contexto de una negociación o venta, los gestos, la postura y las expresiones faciales hablan volúmenes antes de que siquiera articulemos una palabra. Pero, ¿qué pasaría si pudiéramos dominar este lenguaje y convertirlo en una herramienta de influencia poderosa?

La Postura de Poder: Adoptar una postura abierta y estable transmite confianza no solo a los demás, sino también a nosotros mismos. La investigación muestra que sostener una postura de poder por tan solo dos minutos puede elevar los niveles de testosterona (hormona asociada con la confianza) y reducir los de cortisol (hormona del estrés).

Mirada que Engancha: Mantener contacto visual firme, pero no intimidante, puede crear una conexión instantánea. Un vendedor que evita la mirada puede parecer inseguro o deshonesto, mientras que una mirada demasiado fija puede ser percibida como agresión. El equilibrio en la mirada refleja sinceridad y establece credibilidad.

Gestos que Hablan: Los gestos pueden enfatizar un punto o mostrar entusiasmo por el producto que se está vendiendo. Pero, la clave es la naturalidad. Los gestos forzados o demasiado teatrales pueden parecer artificiales y distraer al cliente.

Sincronización y Rapport Secretos No Verbales para el Éxito

La sincronización y el rapport son fundamentales en cualquier interacción humana, especialmente en ventas. Aquí no estamos hablando de imitar de manera obvia sino de una sutil armonización que ocurre cuando estamos genuinamente conectados con otra persona.

Espejeo Inconsciente: Cuando dos personas están en sintonía, a menudo empiezan a reflejar la postura y los movimientos del otro sin darse cuenta. Esto crea una sensación de compenetración y acuerdo. En ventas, hacer esto conscientemente —aunque con discreción— puede fortalecer la conexión con el cliente.

Proxémica Efectiva: La distancia que mantenemos durante una conversación puede ser tan comunicativa como las palabras que usamos. Demasiado cerca puede ser invasivo; demasiado lejos puede parecer distante. Ajustar nuestra proximidad para reflejar la comodidad del cliente puede aumentar la confianza y el rapport.

Sincronía Vocal: El tono, el ritmo y el volumen de nuestra voz deben ser congruentes con nuestro mensaje. Una voz temblorosa o un tono monótono pueden socavar la presentación más convincente. Aprender a modular la voz para que coincida con el mensaje que queremos transmitir potencia nuestra influencia.

En resumen, los cambios sutiles en nuestro lenguaje corporal tienen el potencial de redefinir nuestra influencia en las ventas y la negociación. Al volverse más consciente y dominar el arte de la comunicación no verbal, abrimos un canal de influencia que puede funcionar en un nivel más profundo y subconsciente, allanando el camino hacia relaciones más significativas y efectivas con nuestros clientes.

Capítulo 9: ¿Cómo Detecta y Utilizar los Metaprogramas de Tus Clientes?

Leyendo y Adaptándose a las Pautas d Pensamiento

Los metaprogramas son los filtros a travé de los cuales cada persona ve el mundo toma decisiones. Son patrones d pensamiento profundos que rigen la preferencias y las aversiones, influyendo e cómo y por qué una persona se inclina haci un producto o servicio. Aprender a leer esto metaprogramas puede ser la llave maestr para desbloquear ventas que antes parecía imposibles.

Identificando Metaprogramas: Para empeza a entender y trabajar con metaprograma debemos primero saber identificarlos. Est implica escuchar con atención no solo lo que cliente dice sino cómo lo dice. ¿El cliente s enfoca en problemas o en solucione ¿Prefiere hablar de lo que funciona bien o c lo que se puede mejorar? Estas pistas nc revelan los metaprogramas dominantes.

Adaptación Estratégica: Una vez qu identificamos los metaprogramas de nuestr clientes, podemos adaptar nuest comunicación para resonar con sus patron de pensamiento. Si un cliente está orientac hacia metas, nuestra presentación deb enfocarse en cómo nuestros productos o servicios le ayudarán a alcanzar sus objetivos. Si el cliente es más evitativo, nos centraremos en cómo podemos ayudar a prevenir problemas o minimizar riesgos.

Metaprogramas en la Práctica: Casos y Estrategias

Utilizar metaprogramas en la práctica es un arte delicado que requiere sensibilidad y adaptabilidad. Aquí, nos sumergimos en ejemplos reales de cómo los vendedores han usado el conocimiento de los metaprogramas para conectar con sus clientes y guiarlos hacia la compra.

Casos de Éxito: Presentamos estudios de caso donde los vendedores lograron grandes avances simplemente al cambiar su enfoque basado en los metaprogramas de sus clientes. Estos casos sirven de ejemplo concreto de cómo un pequeño ajuste en el enfoque puede llevar a resultados significativos.

Estrategias Personalizadas: Finalmente, armamos al lector con estrategias prácticas para aplicar este conocimiento. Esto incluye ejercicios para desarrollar la habilidad de leer rápidamente metaprogramas y técnicas para adaptar las tácticas de ventas en tiempo real, creando un diálogo que sea más persuasivo y personalizado.

La detección y utilización efectiva d metaprogramas abre una ventana hacia l psique del cliente, permitiéndonos personaliza nuestras interacciones de manera qu resonemos con sus patrones de pensamient subconscientes. Al alinear nuestro mensaje d ventas con los metaprogramas del cliente, n solo mejoramos nuestras posibilidades d cerrar una venta, sino que tambié establecemos una relación más profunda duradera con ellos.

Capítulo 10: ¿Sabes Realmente Escuchar? El Poder de la Escucha Activa en Ventas

Técnicas Avanzadas de Escucha para Detectar Necesidades Ocultas

La escucha activa va más allá de oír las palabras del cliente; se trata de entender completamente lo que nos están comunicando, tanto a nivel explícito como implícito. Esta sección se adentra en el arte de escuchar entre líneas, de captar los matices y las necesidades no expresadas que el cliente puede que ni siquiera sea consciente de tener.

Profundizando en la Comprensión: Detallamos cómo el uso de técnicas de escucha como el parafraseo, la empatía y la validación pueden revelar capas más profundas de lo que el cliente realmente quiere o necesita. Además, discutimos cómo las pausas estratégicas y las preguntas abiertas pueden fomentar una mayor apertura por parte del cliente, proporcionando más información para el vendedor.

Escuchar Más Allá de las Palabras:

Presentamos métodos para afinar nuestra percepción auditiva y captar las pistas vocales que indican emociones y pensamientos subyacentes. Esto incluye prestar atención a tono, al ritmo y a la inflexión, todos los cuales son vitales para entender el mensaje completo del cliente.

La Escucha Activa como Herramienta de Persuasión y Cierre

No solo se trata de recopilar información sino de usar la escucha activa como un vehículo para construir confianza y facilitar e acuerdo. Esta parte del capítulo muestra cóm la escucha activa puede ser la clave par persuadir y cerrar ventas de una manera qu se siente genuina y satisfactoria para e cliente.

Construyendo Puentes de Confianza Explicamos cómo el acto de escucha genuinamente y demostrar comprensió puede fortalecer la relación con el cliente generando un ambiente de confianza que e esencial para cualquier transacción.

Cerrando con Comprensión: Ofrecemo estrategias prácticas para usar la informació obtenida a través de la escucha activa par presentar soluciones, superar objeciones cerrar la venta de una manera que haga que el cliente se sienta escuchado, comprendido y valorado.

Una escucha efectiva es una de las habilidades más subestimadas en ventas. A lo largo de este capítulo, hemos visto cómo aplicar técnicas avanzadas de escucha activa para descubrir necesidades ocultas y cómo esta poderosa herramienta puede ser utilizada para persuadir y cerrar ventas. Al convertirnos en oyentes activos, no solo entendemos mejor a nuestros clientes, sino que también sentamos las bases para relaciones duraderas y exitosas en el mundo de las ventas.

Epílogo: El Futuro de las Ventas y la Comunicación Humana

En las páginas anteriores, hemos viajado a través del vasto y complejo universo de la Programación Neurolingüística, el coaching, la inteligencia emocional, la influencia, la persuasión y la hipnosis, todo bajo el prisma de su aplicación en el arte y la ciencia de las ventas. Sin embargo, este no es un final, sino un punto de partida hacia un futuro en el que estas habilidades se volverán aún más cruciales en el ámbito de la comunicación humana y las transacciones comerciales.

La Evolución de la PNL y las Ventas

El mundo de las ventas está en constant
evolución, y la PNL con él. Las estrategias qu
hoy parecen innovadoras se convertirán en e
estándar del mañana. La adaptación continu
es clave, y la PNL, con su capacidad par
modelar la excelencia y adaptarse al cambic
seguirá siendo una herramienta inestimabl
para quienes buscan la vanguardia en l
comunicación y la influencia.

La Inteligencia Emocional en la Er Digital

En una era cada vez más digital, donde la
interacciones cara a cara son meno
frecuentes, la inteligencia emocional adquier
una nueva dimensidad. Aprender a leer
responder a las emociones a través d
pantallas y mensajes escritos será un
habilidad que distinguirá a los grande
vendedores de los meramente buenos.

El Futuro Ético de la Influencia

La influencia y la persuasión seguirá
siendo fundamentales en todas las facetas d
la vida humana, particularmente en la
ventas. Pero cómo las aplicamos, en un futu
más consciente y ético, definirá no so
nuestro éxito profesional, sino el tejido c
nuestras relaciones personales y sociales.

La Hipnosis y la Comunicació

Subliminal

La hipnosis, especialmente la conversacional, continuará abriendo caminos en el campo de la comunicación subliminal. La aplicación de estas técnicas en el marketing y la publicidad, así como en la formación de equipos y liderazgo, seguirá siendo explorada y, posiblemente, normalizada.

Adaptabilidad y Aprendizaje Continuo

La única constante que podemos prever es el cambio. La adaptabilidad y el aprendizaje continuo serán esenciales para los profesionales de las ventas que deseen no solo mantenerse al día, sino también liderar el camino en sus campos.

El Impacto en la Vida Personal

Finalmente, las habilidades que hemos discutido no se limitan al mundo de las ventas; tienen el poder de transformar también nuestras vidas personales. A medida que mejoramos nuestra comunicación, influencia y autoconocimiento, no solo somos mejores vendedores, sino mejores socios, amigos y miembros de la comunidad.

Este libro ha sido una invitación a mirar hacia adentro y hacia afuera, a entender que las ventas son un reflejo de nuestra humanidad compartida. Al seguir estos principios, no solo vendemos productos servicios; vendemos ideas, creamo conexiones y construimos un futuro en el qu la comunicación y la comprensión mutua so la moneda más valiosa.

El futuro de las ventas y la comunicació humana es brillante para aquellos dispuestos aprender, adaptarse y aplicar las lecciones d estas páginas. Que este no sea el final de s viaje, sino un nuevo comienzo.

Apéndices

Ejercicios Prácticos de PNL para el Día a Día en Ventas

La Programación Neurolingüística ofrece un conjunto de herramientas y técnicas que pueden mejorar significativamente el rendimiento en ventas. A continuación, presento algunos ejercicios prácticos para integrar la PNL en tus actividades diarias de ventas.

1. Anclaje de Estados Positivos

Objetivo: Crear un "anclaje" que te permita acceder a un estado emocional positivo y productivo en momentos cruciales.

Ejercicio:

Piensa en un momento donde te sentiste excepcionalmente seguro y exitoso en una venta.

Revive ese momento en tu mente, intensifica los colores, sonidos y sensaciones.

En el pico de esa emoción positiva, realiza un gesto único (como apretar el puño o tocar una parte específica de tu mano).

Repite este proceso varias veces hasta que el gesto comience a evocar el estado emocional por sí mismo.

2. Rapport Instantáneo

Objetivo: Establecer una conexió
inmediata con los clientes.

Ejercicio:

Practica la técnica de espejeo sutilment
imitando la postura, gestos y patrones d
habla del cliente.

Hazlo de manera no intrusiva y con respet
a su espacio personal.

3. Reencuadre de Objeciones

Objetivo: Transformar objeciones e
oportunidades.

Ejercicio:

Escucha una objeción común que recibas.

Practica el reencuadre encontrando e
aspecto positivo o la oportunidad en l
objeción.

Por ejemplo, si dicen que tu producto e
muy avanzado, en lugar de verlo como u
problema, reencuádralo como una oportunida
para el cliente de estar a la vanguardia.

4. Visualización de Éxito

Objetivo: Prepararte mentalmente para u
resultado exitoso.

Ejercicio:

Antes de una llamada o reunión important
toma un momento para cerrar los ojos
visualizar claramente cómo quieres que s
desarrolle.

Imagina cada paso, desde la introducción hasta la firma del acuerdo, sintiendo la satisfacción del éxito.

5. Escucha Activa con Metamodelo de PNL

Objetivo: Mejorar la comprensión de las necesidades y deseos del cliente.
Ejercicio:
Cuando el cliente hable, escucha activamente y utiliza el metamodelo de PNL para clarificar ambigüedades o generalizaciones.
Haz preguntas como "¿Qué específicamente...?" o "¿Cómo exactamente...?" para obtener una comprensión más precisa.

6. Lenguaje Hipnótico en la Presentación de Ventas

Objetivo: Hacer que tus presentaciones sean más persuasivas e impactantes.
Ejercicio:
Utiliza patrones de lenguaje hipnótico, como comandos embebidos o historias que transmitan indirectamente el valor de tu producto.
Por ejemplo, cuenta una historia de un cliente que encontró una solución en tu producto, enfatizando las palabras clave en tu mensaje.

7. Técnica de Swish para Superar la Procrastinación

Objetivo: Cambiar un hábito de postergación por uno de acción inmediata.

Ejercicio:

Visualiza una imagen de ti mism procrastinando.

Ahora crea una imagen de cómo te gustarí ser actuando inmediatamente y con éxito.

Mentalmente, haz que la primera imagen s haga pequeña y oscura y que la segund imagen se expanda y brille.

"Switchea" rápidamente entre amba imágenes varias veces hasta que la imagen d acción inmediata sea la más predominante.

Estos ejercicios son solo el comienzo. L PNL es una disciplina amplia y profundament personalizable; con práctica, podrás adapta estas técnicas a tus propias necesidades estilos de ventas, desarrollando un conjunt de habilidades que resonarán de manera únic con tus clientes.

Guía Rápida de Coaching para Situaciones de Venta

Esta guía rápida está diseñada pa vendedores y gerentes de ventas que busca integrar técnicas de coaching en su proceso ventas para mejorar el rendimiento y los resultados.

1. Establecer el Marco de Coaching

Clarifica Objetivos:

Pregunta al equipo cuáles son sus metas personales y profesionales.
Alinea los objetivos de ventas con sus metas personales para aumentar la motivación.
Crea Acuerdos:

Establece las reglas del coaching, incluyendo confidencialidad y compromiso.
Define las expectativas y la frecuencia de las sesiones de coaching.

2. Escucha Activa

Demuestra Comprensión:

Utiliza la escucha activa durante las interacciones con los clientes y tu equipo.
Refleja y valida sus comentarios para demostrar comprensión.
Haz Preguntas Poderosas:

Formula preguntas abiertas que estimulen el pensamiento y la introspección.
Evita preguntas que se puedan responder con un "sí" o "no".

3. Herramientas de Coaching

Feedback Constructivo:

Proporciona retroalimentación basada en comportamientos específicos y sus impactos.
Enfócate en cómo mejorar y aprender de los errores.
Modelo GROW:

Goal (Objetivo): ¿Qué quieres lograr?
Reality (Realidad): ¿Dónde estás ahora respecto a ese objetivo?
Options (Opciones): ¿Qué opciones tienes para avanzar?
What's Next (Qué Sigue): ¿Qué acción vas a tomar?

4. Autodescubrimiento y Responsabilidad

Fomenta la Autoreflección:

Incita a los miembros del equipo a reflexionar sobre sus fortalezas y áreas de mejora.
Guíalos para que creen su propio plan de desarrollo.
Responsabilidad Personal:

Ayuda a los vendedores a establecer sus propios compromisos de acción.
Realiza un seguimiento para asegurar la consistencia y responsabilidad.

5. Manejo de Objeciones

Estrategias de Respuesta:
Entrena a los vendedores en técnicas de manejo de objeciones.
Role-play para practicar respuestas a las objeciones comunes.

6. Cierre de Ventas

Técnicas de Cierre:
Discute y practica diferentes técnicas de cierre.
Utiliza preguntas de coaching para guiar a los vendedores hacia el mejor cierre para cada situación.

7. Desarrollo de la Resiliencia

Gestión del Rechazo:
Trabaja en el desarrollo de la resiliencia frente a los "no" y los rechazos.
Comparte historias de fracasos y cómo se convirtieron en aprendizajes.

8. Evaluación y Ajuste

Monitorea el Progreso:
Revisa regularmente el progreso hacia los objetivos de ventas.
Ajusta las estrategias y acciones según sea necesario.

9. Celebración y Reconocimiento

Reconoce el Éxito:
Celebra las victorias, tanto grandes como pequeñas, para fomentar la moral y e entusiasmo.
Reconoce públicamente los esfuerzos y logros.
Esta guía rápida puede ser un recurso valioso para incorporar el coaching en la operaciones de venta diarias, proporcionando un enfoque estructurado que potencia tanto la efectividad individual como la del equipo.

Inteligencia Emocional Autoevaluaciones y Mejora Continua

La inteligencia emocional es una habilidad clave en la vida personal y profesional que s puede desarrollar y mejorar con la práctica Autoevaluarse de manera regular comprometerse con un proceso de mejor continua son pasos fundamentales para e crecimiento en esta área. Aquí t proporcionamos una estructura para evaluar mejorar tu inteligencia emocional:

Autoevaluación de la Inteligencia Emociona
Autoconciencia Emocional:

Identifica las emociones que sientes e diferentes situaciones.
Reconoce cómo tus emociones afectan tu pensamientos y comportamientos.

Autogestión:

Evalúa cómo manejas el estrés y las emociones abrumadoras.
Observa tu capacidad para mantener una actitud positiva frente a los desafíos.
Motivación Personal:

Reflexiona sobre tu impulso interno y tus metas personales.
Analiza tu compromiso con el crecimiento personal y profesional.
Empatía:

Considera tu habilidad para entender las emociones de los demás.
Piensa en cómo respondes a las necesidades emocionales de otras personas.
Habilidades Sociales:

Mira retrospectivamente tu efectividad en las interacciones sociales y tu habilidad para manejar conflictos.
Evalúa cómo construyes y mantienes relaciones saludables.
Desarrollo de la Inteligencia Emocional
Crea un Diario Emocional:

Anota tus reacciones emocionales a los eventos del día.
Observa patrones o gatillos que puedan requerir una mayor atención.
Prácticas de Mindfulness:

Dedica tiempo a la meditación o ejercicio de atención plena para mejorar la autoconciencia.
Usa técnicas de respiración para manejar la ansiedad y el estrés.
Establece Metas de Desarrollo:

Define metas específicas para mejorar cad componente de la inteligencia emocional.
Desarrolla planes de acción para alcanza estas metas.
Entrenamiento de Empatía:

Practica ponerse en el lugar de los demás considera sus perspectivas.
Participa en actividades de voluntariad para fomentar la conexión emocional con lo demás.
Mejora tus Habilidades Sociales:

Participa en grupos o actividades donc puedas practicar y desarrollar habilidades d comunicación y escucha.
Aprende técnicas de resolución de conflicto para mejorar tus interacciones y relaciones.
Retroalimentación y Ajustes
Solicita Feedback:

Pide a colegas, amigos o familiares que t proporcionen retroalimentación sobre tu habilidades emocionales.
Toma la crítica de manera constructiva como una oportunidad para mejorar.
Reevalúa Periódicamente:

Establece momentos regulares para reevaluar tus habilidades emocionales.

Ajusta tus metas y estrategias en función de tu progreso y los comentarios recibidos.

Celebra los Logros:

Reconoce y celebra los avances en tu inteligencia emocional.

Comparte tus experiencias y aprendizajes con otros para motivar la mejora continua.

La mejora de la inteligencia emocional es un viaje continuo que requiere dedicación y conciencia. Al seguir estos pasos y comprometerte con el autodesarrollo, puedes lograr una mayor comprensión de ti mismo y de cómo te relacionas con los demás, lo cual es invaluable tanto en el ámbito personal como en el profesional.

Glosario de Términos de PNL, Coaching e Hipnosis

Anclaje: Técnica de PNL que asoci estímulos sensoriales con estados emocionale o psicológicos específicos.

Calibración: En PNL, es la habilidad de lee el lenguaje corporal y las señales no verbale para comprender el estado interno de un persona.

Coaching: Proceso de acompañamiento qu busca el desarrollo de habilidades y el logro d objetivos personales o profesionales.

Congruencia: Coherencia entre lo que s dice, cómo se dice, y la postura o lenguaj corporal, reflejando autenticidad.

Ecología (PNL): Principio de considerar bienestar general y el impacto de los cambic o acciones en todas las partes de la vida c una persona.

Empoderamiento: Proceso mediante el cu una persona adquiere control sobre su decisiones y acciones, aumentando s capacidad de actuar.

Hipnosis: Estado modificado de concienc que incrementa la receptividad a la sugesti y puede ser usado para cambios comportamiento o mejora del bienestar.

Lenguaje Hipnótico: Patrones de lenguaje usados en hipnosis para dirigir pensamientos y comportamientos a través de la sugestión.

Metamodelo (PNL): Conjunto de preguntas y lenguaje utilizado para clarificar y especificar el pensamiento y la comunicación.

Metaprogramas: Patrones de pensamiento y filtrado de información que influyen en cómo percibimos y respondemos al mundo.

Modelado (PNL): Proceso de replicar la excelencia mediante la observación y la imitación de las estrategias de personas exitosas.

Rapport: Creación de una relación de entendimiento y sintonía con otra persona, fundamental para la comunicación efectiva.

Reencuadre: Técnica de PNL que cambia la percepción de una situación para verla desde una perspectiva más positiva o útil.

Sistemas representacionales: En PNL, se refiere a los canales a través de los cuales procesamos la información: visual, auditivo, kinestésico, etc.

Sugestión Posthipnótica: Instrucciones o sugerencias dadas durante un trance hipnótico que se manifiestan después de regresar a estado de conciencia normal.

Visualización: Técnica que implica l creación de imágenes mentales vivas par influir en el estado emocional o mental.

Este glosario proporciona una base par entender los conceptos comunes dentro de la disciplinas de la Programació Neurolingüística, el coaching y la hipnosis ofreciendo una herramienta útil para lo practicantes y estudiantes de estas áreas.

Referencias y Lecturas Recomendadas

PNL (Programación Neurolingüística):

"La Estructura de la Magia" por Richar Bandler y John Grinder. Este libro e fundamental para comprender los principio básicos de la PNL y sus aplicaciones.

"PNL para Dummies" por Romilla Ready Kate Burton. Una guía accesible par principiantes que desean introducirse en mundo de la PNL.

"Sapos en Príncipes" por Richard Bandler John Grinder. Ofrece una introducción a l técnicas de la PNL para la transformació personal.

Coaching:

"El Camino del Coaching" por Mónica Esgueva. Ideal para entender el proceso del coaching y su impacto en la vida personal y profesional.

"Coaching con PNL" por Joseph O'Connor y Andrea Lages. Un libro que combina las técnicas de la PNL con las del coaching para el desarrollo personal.

Inteligencia Emocional:

"Inteligencia Emocional" por Daniel Goleman. La obra pionera que introdujo el concepto de inteligencia emocional en el ámbito público y profesional.

"La Inteligencia Emocional en la Empresa" por Daniel Goleman. Aplica los principios de la inteligencia emocional en el contexto laboral y empresarial.

Influencia y Persuasión:

"Influencia: Ciencia y Práctica" por Robert B. Cialdini. Esencial para entender los principios de la influencia y cómo aplicarlos éticamente.

"Las Armas de la Persuasión" por Robert B. Cialdini. Este libro proporciona una mirada profunda a las técnicas de persuasión en varios contextos.

Hipnosis:

"Hipnosis: Teoría, práctica y aplicaciones por Juan A. Moles. Introduce a los lectores en las técnicas básicas y avanzadas de la hipnosis.

"Trance-formaciones: PNL y la Estructura de la Hipnosis" por John Grinder y Richard Bandler. Explora la relación entre la PNL y la hipnosis conversacional.

Estos libros ofrecen una gama de perspectivas y profundidades de conocimiento que pueden satisfacer tanto al principiante como al profesional avanzado. Son una excelente base para construir una comprensión sólida de la PNL, el coaching, la inteligencia emocional, la influencia, la persuasión y la hipnosis aplicadas a las ventas y el desarrollo personal.

El Libro Negro de la Seducción

17 Trucos Psicológicos Para Hablar, Conquistar, Enamorar, Manipular y Dominar a Hombres y Mujeres + Frases para Ligar

Roberto de los Bosques

Descarga de responsabilidad

El presente libro no es un servici profesional personalizado. No sustituye a un psicólogo o a un médico. Los resultado no están garantizados. Ni el escritor ni e equipo editorial se hacen responsables po las consecuencias de poner en práctic algo que aparezca en estas páginas.

Dedicatoria y agradecimientos

"La mente humana es un teatro de conflictos; emoción contra razón, deseo contra deber, lo corto plazo contra lo largo plazo. Nuestra capacidad de elegir, sin embargo, es lo que nos define y nos empodera."

– Dr. Julius Kingsley, durante su discurso en la Conferencia Internacional de Psicología, 1978.

A todos aquellos que buscan entenderse a sí mismos y a los demás, que tienen la valentía de desafiar sus límites y aprender a navegar en el intrincado mar de las emociones y relaciones humanas. Que este libro sea una luz en ese viaje.

Primero y ante todo, agradezco a mi familia por su inquebrantable apoyo y amor, que ha sido el faro en mis días más oscuros.

A mis maestros y mentores en el campo de la psicología, cuyas enseñanzas han sido fundamentales para la construcción de este trabajo. En especial, al Dr. Julius Kingsley, cuya cita inspiró no solo el comienzo de este libro, sino gran parte de mi carrera.

A todos mis amigos y colegas que compartieron sus experiencias personales y profesionales, proporcionando valiosas perspectivas que enriquecieron cada página de este libro.

Finalmente, a todos ustedes, los lectores, que con su curiosidad y pasión por el aprendizaje me motivan a seguir investigando, escribiendo y compartiendo. Que este libro les proporcione las herramientas que buscan y los ayude a construir relaciones más ricas y significativas.

Gracias de corazón.

Roberto de los Bosques

El camino hacia el poder personal

El aire en el café L'Espresso estaba cargado de aromas de café recién molido y pasteles horneados, típica tarde parisina. Me encontraba nervioso, a la espera de Giovanni, un influyente hombre de negocios con el que esperaba cerrar un acuerdo crucial para mi carrera. Las cortinas de terciopelo del lugar ocultaban la luz del sol, creando un ambiente íntimo y algo misterioso.

Finalmente, la puerta de entrada sonó y entró un hombre alto, de traje gris oscuro, impecable. Sus ojos brillaban con una astucia que me incomodó ligeramente. "Roberto," me saludó con una sonrisa afilada, extendiendo una mano firme.

"Giovanni, gracias por venir," respondí, intentando ocultar mi nerviosismo.

Durante la reunión, algo me result
inusual. Cada vez que presentaba u
punto sobre el contrato, Giovanni m
contaba una historia personal o me hací
una pregunta aparentemente inocent
que, sin darme cuenta, desviaba l
conversación y me hacía ceder en mi
términos.

"Recuerdo una vez en Roma," comenzó
en respuesta a una cláusula que presenté
"cuando un joven emprendedor quis
negociar conmigo. No entendía que la
oportunidades vienen con condiciones...
Me encontré atrapado en su relato,
antes de darme cuenta, había aceptad
cambiar esa cláusula.

Al final de la tarde, me di cuenta de qu
había sido manipulado de principio a fi
Sentí una mezcla de admiración
vergüenza; admiración por la habilida
con la que Giovanni había dirigido nuest
conversación, y vergüenza por haber sid
tan fácilmente influenciado.

Decidido a nunca volver a ser víctima, me sumergí en un intenso estudio sobre la psicología y el comportamiento humano. Viajé, asistí a seminarios, leí innumerables libros y me entrené con expertos en persuasión y negociación. Durante años, desentrañé y perfeccioné los mismos trucos que me habían sido aplicados.

Lo que descubrí fue un conjunto de técnicas poderosas que, cuando se usan correctamente, pueden liberar a una persona de la manipulación o, en manos equivocadas, esclavizarla. Estos trucos son el núcleo de este libro.

Te presentaré estas técnicas no para que las uses maliciosamente, sino para que estés armado con el conocimiento necesario para protegerte. La información contenida aquí debe ser utilizada con responsabilidad y ética. Mi deseo es que, al igual que yo, puedas usar este conocimiento para construir relaciones genuinas y protegerte de aquellos que buscan dominarte.

Prepárate para un viaje transformador hacia el verdadero poder personal.

¿De dónde viene todo esto?

Desde tiempos inmemoriales, la seducció ha sido una herramienta fundamental e las interacciones humanas. Originaria de término latino "seducere", que signific "guiar a un lado", se refier tradicionalmente a la capacidad de atrae o influir sobre otro ser para conseguir u objetivo determinado.

En la Antigüedad, las historias d seducción estaban frecuentement enraizadas en la mitología. En el 130 a.C., la historia de Cleopatra y Marc Antonio es un ejemplo de cómo el pode de la seducción podía cambiar el curso d naciones enteras.

En la China antigua, la cortesana era un figura que personificaba el arte de seducción, utilizando su encanto par influir en políticos y reyes. En Japón, la geishas eran expertas en el arte de conversación y el entretenimient seduciendo a sus clientes con gracia delicadeza.

En Europa, durante la Edad Media y el Renacimiento, las cortesanas eran mujeres que ofrecían compañía y entretenimiento a los hombres ricos y poderosos. Casanova, en el siglo XVIII, se convirtió en un símbolo de la seducción masculina en Europa.

La seducción ha sido un tema central en la literatura y el arte. Obras como "Don Juan" de Molière o "La Dama de las Camelias" de Alexandre Dumas tratan sobre el poder y el peligro de la seducción.

En el siglo XX, con la revolución sexual y el feminismo, el arte de la seducción experimentó una transformación. La seducción no siempre ha sido vista con buenos ojos. Ha sido utilizada como una herramienta de manipulación, engaño y abuso. Las guerras y conflictos han estallado debido a relaciones seductoras mal entendidas o manipuladas. Personas han sido estafadas o engañadas por individuos que han utilizado la seducción con fines oscuros.

La seducción, en su esencia, es una forma de comunicación y conexión entre seres humanos. Sin embargo, como cualquier herramienta, puede ser utilizada tanto para el bien como para el mal. Es esencia entender y respetar los límites y ser conscientes de los riesgos asociados con su mal uso. La historia de la seducción es un reflejo de la complejidad y la dualidad de la naturaleza humana.

La libertad implica responsabilidad para no convertirse en libertinaje. Seduce a alguien porque vas a inspirarle, para sumarle; no para aprovecharte. Cada uno de estos trucos te dará el poder de conquistas, enamorar y manipular, pero también te servirá para evitar ser tú la víctima.

No bajes la guardia.
He visto estos trucos innumerables veces pero entiendo que no son evidentes desde la Matrix. Para ilustrártelos conocerás ejemplos; por privacidad no están los nombres verdaderos de los protagonistas. No son historias tristes de viles manipuladores, la mayoría son personas como tú que aprendieron a utilizar algunos de estos trucos y esto le ha generado excelentes resultados.

Ser un seductor no te convierte en alguien malo mientras no use tu poder para el mal.

Después de los ejemplos, encontrarás consejos y una práctica para desbloquees tu atractivo y te vuelvas (más) poderoso. Esto no es teoría inútil. Es una guía que funciona. Lo sé porque la evidencia, la cantidad de casos, es ingente. Pruébalos, los resultados hablan por sí solos.

Truco 1: domina el arte de la conversación

La magia de la conversación radica en su capacidad de construir puentes entr mundos internos. Aquellos que domina este arte no solo comparten palabras, sin que también crean conexiones profundas duraderas.

Carlos, un ejecutivo de alto nivel, siempr había confiado en su habilidad para habla Con anécdotas listas y cifras a la manc podía dominar cualquier conversació comercial. Sin embargo, durante una cen corporativa, se encontró sentado junto Elena, una aclamada novelista.

Al inicio, Carlos intentó impresionarla con historias de sus éxitos y desafíos en el mundo corporativo. Pero Elena, con una sonrisa serena, le preguntó: "Carlos, ¿alguna vez has tenido una conversación que cambió el rumbo de tu vida?". Tomado por sorpresa, Carlos recordó una charla con su abuelo, llena de sabiduría y consejos que finalmente lo llevaron a perseguir su carrera. Al compartir esa historia, no solo reveló una parte vulnerable de sí mismo, sino que también estableció una conexión genuina con Elena.

A medida que avanzaba la noche, Carlos se dio cuenta de que no se trata de cuánto hablas, sino de lo que eliges compartir y cómo escuchas. Descubrió que las conversaciones más memorables y significativas surgen cuando las personas se muestran auténticas y abiertas a conectarse en un nivel más profundo.

Consejos:

- Prioriza la calidad sobre la cantidad: En lugar de hablar por hablar, busca momentos de autenticidad y conexión.

- Escucha para entender, no par responder: Dedica tiempo a procesa lo que te están diciendo antes d pensar en tu próxima respuesta.

- Haz preguntas significativas Profundiza en las conversacione buscando historias y experiencia que hayan moldeado a t interlocutor.

- El lenguaje corporal es tu aliado Asegúrate de que tu postura, gesto y expresiones faciales refleje interés y empatía.

Práctica:
Desafío de Escucha Profunda: Durante l próxima semana, en cada conversación haz un esfuerzo consciente para escucha más de lo que hablas. Al final de cada día anota las cosas nuevas que aprendist sobre alguien gracias a esta práctica Reflexiona sobre cómo estas revelacione han enriquecido tus interacciones relaciones.

La verdadera maestría en la conversación no se mide por la cantidad de palabras pronunciadas, sino por la profundidad de las conexiones establecidas. Es un arte que, cuando se practica con autenticidad y empatía, puede transformar relaciones superficiales en conexiones significativas.

Truco 2: el Espejo Mágico

La empatía es la habilidad de sintonizarse con las emociones de los demás, de senti lo que sienten y entender su mundo interior. Al cultivarla y expresarla podemos resonar con las personas a un nivel profundamente emocional, creando un lazo que trasciende las palabras.

Laura, una terapeuta con años de experiencia, tenía una habilidad innat para conectar con sus pacientes. Uno de ellos, Raúl, era un joven rebelde con un historial de comportamiento agresivo Muchos habían intentado ayudarle si éxito, tachándolo como "difícil" "inmanejable".

Durante una de sus sesiones, en lugar de cuestionar o dar consejos, Laura simplemente reflejó: "Siento que llevas mucho tiempo luchando, Raúl, como si tuvieras un peso que no te permite avanzar. Debe ser agotador". Raúl, acostumbrado a ser reprendido o malinterpretado, miró a Laura sorprendido. Por primera vez, alguien había captado y expresado exactamente cómo se sentía. Este simple acto de empatía abrió una puerta, permitiendo que Raúl comenzara a confiar y abrirse sobre sus traumas y miedos.

La lección aquí es clara: A veces, las personas no buscan soluciones inmediatas. Lo que realmente anhelan es ser comprendidas, sentir que sus emociones y luchas son validadas.

Consejos:

- Escucha sin juicio: Aborda cada conversación con una mente abierta, sin preconcepciones o juicios previos.

- Valida las emociones: Aun cuand
no estés de acuerdo, reconocer y
validar los sentimientos de alguie
puede crear un ambiente d
confianza.

- Aprende a reflejar: Esta técnic
implica repetir o parafrasear lo qu
alguien ha dicho, asegurándote d
capturar la esencia emocional detrá
de sus palabras.

- Mantén el contacto visual: Est
demuestra que estás presente
conectado con la persona con la qu
estás hablando.

Práctica:

Ejercicio de Reflejo Empático: Durante lo
próximos días, cuando hables con alguien
intenta reflejar sus sentimientos y deseo
Por ejemplo, si alguien dice: "Esto
agotado con todo este trabajo", podría
responder: "Parece que te siente
realmente abrumado y necesitas u
descanso". Anota las reacciones qu
observes y cómo cambia la dinámica de
conversación.

Al dominar el Espejo Mágico, no solo demuestras que comprendes a las personas, también les ofreces un espacio seguro donde pueden ser ellos mismos, sentando las bases para relaciones más auténticas y profundas.

Truco 3: la Sintonía Magnética

Todo ser humano vibra a su propi
frecuencia emocional. Cuando aprendemo
a sintonizar y alinear nuestras emocione
con las de los demás, no solo entendemo
mejor su perspectiva, también creamo
una resonancia que facilita la comprensió
mutua y la atracción.

Sofía, una destacada mediadora e
conflictos internacionales, fue asignada
un caso particularmente complejo en u
país devastado por la guerra. Dos lídere
de facciones opuestas, Omar y Leila, s
habían enfrentado durante años, y l
animosidad entre ellos era palpable.

Durante la primera reunión, las tensiones eran altas. Cada uno presentaba sus demandas con agresividad, sin ceder un ápice. Sin embargo, en lugar de abordar directamente el conflicto, Sofía decidió centrarse en las emociones subyacentes. Comenzó a hablar sobre el amor que ambos líderes sentían por su tierra, la esperanza de un futuro mejor para sus hijos, y los sueños que tenían antes del conflicto. Al evocar estas emociones comunes, la atmósfera cambió. Omar y Leila, al darse cuenta de que compartían sentimientos similares, comenzaron a ver al otro no como un enemigo, sino como un ser humano con deseos y miedos similares.

A través de esta alineación emocional, Sofía pudo establecer un terreno común y facilitar un diálogo más constructivo entre ambos líderes.

Consejos:

- Encuentra el denominador común: En cualquier interacción, busca emociones, experiencias o deseos que ambos compartan.

- Evita la confrontación directa: En lugar de chocar de frente con alguien, intenta acercarte desde una posición de empatía y comprensión.

- Sé auténtico en tu sintonía: Las personas pueden detectar la falsedad. Cuando intentes conectarte emocionalmente, hazlo desde un lugar genuino.

- Practica la escucha activa: Esto te permitirá captar las sutilezas y emociones subyacentes en cualquier conversación.

Práctica:

Ejercicio de Sintonización: Durante un semana, en cada conversación que tengas intenta identificar y resonar con al menos una emoción o deseo del interlocutor. Puede ser algo tan simple como compartir la emoción de un libro favorito o tan profundo como comprender el dolor de una pérdida. Observa cómo esta práctica afecta la calidad de tus interacciones.

Al perfeccionar la Sintonía Magnética, te conviertes en un imán para las relaciones auténticas, permitiendo que las interacciones fluyan con mayor facilidad y profundidad.

Truco 4: el presente

La mente humana tiende a divagar entr
el pasado, el presente y el futuro. Si
embargo, el poder de la auténtic
conexión yace en el momento presente. A
anclarnos firmemente en el "aquí y ahora"
somos capaces de interactuar de form
más genuina, dejando una impresió
duradera en los demás.

Andrés era conocido entre sus amigo
como el "soñador", siempre perdido en su
pensamientos, ya fuera recordando e
pasado o planeando el futuro. Durante un
escapada a un retiro de meditación en la
montañas, conoció a Maya, una instructor
que irradiaba una presencia calmada
centrada.

Un día, mientras paseaban por un sendero, Andrés comenzó a expresar sus preocupaciones sobre decisiones pasadas y la incertidumbre del futuro. Maya, deteniéndose junto a un arroyo, recogió una piedra y la dejó caer en el agua, creando ondas expansivas. "Así como esta piedra perturba el agua, así nuestros pensamientos perturban nuestra paz interior", le explicó. Luego, le pidió que se concentrara solo en el sonido del arroyo, en el canto de los pájaros, en el presente. Andrés, por primera vez en mucho tiempo, sintió una profunda calma y conexión con el momento.

A partir de ese día, comprendió el valor de la presencia. Descubrió que al estar verdaderamente presente en sus interacciones, no solo se sentía más conectado con los demás, sino que también dejaba una huella imborrable en sus corazones.

Consejos:

- Practica la atención plena: Dedica tiempo cada día a simplemente "ser", ya sea a través de la meditación, la respiración consciente o simplemente observando tu entorno.

- Evita las distracciones: Cuando estés en una conversación, guarda tu teléfono y otros dispositivos. Da a la otra persona toda tu atención.

- Reconoce y libera tus pensamientos Si te encuentras divagando durante una interacción, reconoce e pensamiento y regresa suavemente al momento presente.

- Cultiva la paciencia: Estar present es una habilidad que requier práctica. No te desanimes si no l logras de inmediato.

Práctica:

Ejercicio de Anclaje: Dedica 5 minuto cada día para centrarte en el moment presente. Puede ser observando una vela escuchando música sin hacer nada más, sintiendo el ritmo de tu respiración. medida que avanzas, intenta llevar est presencia a tus conversaciones diarias.

El Ancla de Presencia no solo enriquec tus interacciones, sino que también permite vivir cada momento al máxim estableciendo conexiones genuinas memorables.

Truco 5: La Escalera de Curiosidad

La auténtica conexión surge cuando mostramos un interés genuino por conocer a la persona que está frente a nosotros. Al alimentar nuestra curiosidad, nos convertimos en excelentes oyentes y descubrimos historias y aspectos de los demás que a menudo permanecen ocultos.

Elena era periodista, con la habilidad especial de hacer que incluso las personas más reservadas compartieran sus historias más íntimas. Durante un viaje en tren, se encontró con un anciano, de aspecto serio y reservado, llamado Jorge.

En lugar de sumergirse en su libro, Elena decidió iniciar una conversación con un simple: "Este paisaje es impresionante, ¿no le parece?". Jorge asintió, pero no parecía muy interesado en charlar. Sin embargo, en lugar de rendirse, Elena continuó con su curiosidad: "Me recuerda a las historias que mi abuelo solía contarme sobre sus viajes. ¿Usted ha viajado mucho?". A esto, Jorge respondió que había sido marinero y había visto gran parte del mundo.

Peldaño tras peldaño, a medida que Elena hacía preguntas genuinas y escuchaba con atención, Jorge comenzó a compartir historias fascinantes de sus viajes aventuras y lecciones aprendidas. Al final del viaje, no solo había nacido una amistad, sino que Elena también había descubierto un tesoro de relatos y sabiduría.

Consejos:

- Sé genuinamente curioso: Las personas pueden percibir cuando tu interés es auténtico o forzado Siente verdadera curiosidad por conocer a los demás.

- Haz preguntas abiertas: Estas son preguntas que no pueden ser respondidas con un simple "sí" "no". Invitan a compartir historias pensamientos.

- Escucha más de lo que hablas: menudo, al permitir que los demás se expresen, descubrimos aspecto fascinantes sobre ellos.

- Evita interrumpir: Dar tiempo y espacio para que la otra persona comparta es esencial para cultivar la confianza.

Práctica:

Ejercicio de Indagación Curiosa: En tu próxima conversación, desafíate a ti mismo a hacer al menos tres preguntas abiertas y escuchar activamente las respuestas. Luego, reflexiona sobre lo que aprendiste de la otra persona que no sabías antes.

Mediante La Escalera de Curiosidad, no solo te abres a nuevas historias y experiencias, sino que también te posicionas como alguien en quien los demás confían y aprecian. Es un truco simple pero poderoso para forjar conexiones más profundas y significativas.

Truco 6: el Secreto de Reconocimiento

Cada individuo tiene un deseo innato de ser reconocido, valorado y comprendido. Al aprender a reconocer y reflejar las cualidades únicas y las contribuciones de otros, no solo mejoramos nuestras interacciones, sino que también empoderamos a quienes nos rodean.

Luis, un jefe de departamento, siempr tuvo problemas para conectarse con s equipo. A menudo se enfocaba en la tareas y resultados, olvidando la necesidades emocionales de su subordinados. Un día, después de recib críticas por su estilo de liderazgo, asistió un taller sobre *management*.

Durante una de las actividades, Luis tuvo que identificar y compartir las fortalezas de cada miembro de su equipo. Al principio, le resultó difícil, pero a medida que se esforzaba por ver más allá de las cifras y los informes, comenzó a reconocer las habilidades únicas que cada persona aportaba. En la siguiente reunión de equipo, decidió compartir sus observaciones, destacando las contribuciones individuales y el valor que cada uno aportaba.

El cambio en el ambiente fue palpable. Los miembros del equipo, al sentirse vistos y valorados, se sintieron más motivados y conectados con Luis. Al reflejar su reconocimiento, Luis no solo mejoró la moral del equipo, sino que también forjó conexiones más fuertes y auténticas.

Consejos:

- Observa activamente: Haz un esfuerzo consciente para notar las fortalezas y las contribuciones únicas de las personas a tu alrededor.

- Expresa aprecio genuino: No se trata de halagar vacíamente. Reconoce y valora a las personas de manera sincera y específica.

- Hazlo regularmente: El reconocimiento no debe ser un acto único, sino una práctica continua.

- Escucha las necesidades de los demás: A menudo, al escuchar activamente, puedes identificar áreas en las que alguien desea ser reconocido y valorado.

Práctica:

Ejercicio de Reconocimiento Activo: Durante la próxima semana, elige a una persona diferente cada día y reconoce algo específico y genuino sobre ella. Puede ser un compañero de trabajo, un amigo, un miembro de la familia o incluso un desconocido. Observe cómo esta simple acción puede transformar la interacción y, posiblemente, el día de esa persona.

El Espejo del Reconocimiento no solo mejora nuestras relaciones, sino que también tiene el poder de inspirar y empoderar a quienes nos rodean, creando un círculo virtuoso de positividad y conexión.

Truco 7: La Llave

La vulnerabilidad es a menudo vista com una debilidad, pero en realidad, es un poderosa herramienta para crea conexiones profundas y genuinas. A mostrarnos tal como somos, con nuestra imperfecciones y temores, invitamos a lo demás a hacer lo mismo, creando u espacio seguro para la autenticidad.

Isabel siempre había sido la "fuerte" entr sus amigos y familiares. Había construid muros alrededor de su corazón, evitand mostrar cualquier señal de debilidad. Si embargo, un día, durante una reunió familiar, se sintió abrumada por la emociones debido a recientes desafío personales y, en lugar de esconderse decidió compartir sus sentimientos.

Con lágrimas en los ojos, Isabel relató lo obstáculos que estaba enfrentando. Par su sorpresa, en lugar de juicio, encontr consuelo y apoyo. Su primo Carlos, co quien nunca había sido especialment cercana, compartió una historia simila diciendo: "Me alegra saber que no esto solo en esto".

Al permitirse ser vulnerable, Isabel no solo encontró alivio para su dolor, sino que también fortaleció sus vínculos con su familia. Descubrió que, al mostrar su verdadero yo, permitía que los demás hicieran lo mismo, creando un espacio de empatía y comprensión mutua.

Consejos:

- Acepta tus imperfecciones: Todos tenemos luchas y desafíos. Reconocerlos y aceptarlos es el primer paso hacia la vulnerabilidad.

- Busca espacios seguros: No siempre es adecuado ser vulnerable. Identifica personas y lugares donde te sientas seguro para abrirte.

- Escucha sin juzgar: Al igual que valoras cuando alguien te escucha, haz lo mismo por los demás. La empatía es una herramienta poderosa.

- Practica la autocompasión: Sé amable contigo mismo. La vulnerabilidad empieza por reconocer y aceptar tus propias emociones y sentimientos.

Práctica:

Ejercicio de Apertura del Corazón: Dedic
un momento para reflexionar sobre alg
que te haya pesado recientement
Escríbelo en un diario o habla al respect
con alguien en quien confíes. Al hacerl
observa cómo te sientes y las reaccione
de los demás.

La Llave de la Vulnerabilidad no solo t
permite conectar a un nivel más profund
sino que también te libera del peso d
esconder tus verdaderos sentimientos
emociones. Es una invitación a vivi
auténticamente, abrazando tanto nuestra
fortalezas como nuestras debilidades.

Truco 8: pon el pie en la puerta

Cuando compramos un boleto de cine, hay una alta probabilidad de que asistamos a la función, incluso si en el último minuto no nos siente como hacerlo. Este compromiso no se debe necesariamente a nuestra pasión por las películas, sino a algo llamado la Falacia del Costo Hundido. Esta falacia se refiere a una tendencia humana a seguir adelante con una decisión debido a las inversiones previas que hemos hecho, ya sean económicas, de tiempo, o de esfuerzo.

Camila había comprado una suscripción anual a un gimnasio. Al principio, asistía regularmente, pero con el tiempo, encontró difícil mantener el ritmo debido a su apretada agenda. Sin embargo, en lugar de cancelar su membresía, continuó pagando mes tras mes. Cada vez que consideraba la idea de cancelar, el recuerdo de la inversión inicial la frenaba. "Ya he pagado tanto", pensaba, "no quiero que ese dinero se desperdicie".

El fenómeno del costo hundido puede se
ilustrado como una trampa mental. Cuant
más invertimos en algo, más nos cuest
abandonarlo, incluso si racionalment
sabemos que continuar podría no ser l
mejor decisión. Esto se debe a qu
nuestro cerebro está programado par
detestar las pérdidas, a veces incluso má
de lo que valoramos las ganancias.

Consejos:

- Si invitas a alguien a un evento
esa persona invierte tiempo
recursos para asistir (comprar u
atuendo, reservar un día), e
probable que asista incluso si surge
otras opciones.

- En conversaciones, si puedes hace
que alguien invierta tiempo
energía en una discusión (pc
ejemplo, compartiendo una histor
personal o involucrándos
emocionalmente), es más probab
que continúen comprometidos en
conversación, incluso si el tem
cambia o se vuelve más complejo.

Práctica:

La próxima vez que te encuentres en una conversación o situación social, piensa en maneras sutiles y éticas de involucrar a la otra persona. Puede ser tan simple como hacer una pregunta que requiera una respuesta reflexiva, o compartir una anécdota que pueda provocar una respuesta emocional. Una vez que alguien está emocional o temporalmente invertido, es más probable que permanezca comprometido.

Truco 9: la Nostalgia

La nostalgia, esa dulce sensación qu
sentimos al recordar momentos pasados
tiene un poderoso efecto en nuestr
estado emocional. Las melodías d
antiguas canciones, el aroma de un
comida familiar, o las imágenes d
tiempos pasados pueden evoca
sentimientos profundos y conectarno
emocionalmente con quienes nos rodean
La técnica de la nostalgia utiliza est
sentimiento para crear lazos y fortalece
relaciones.

Marta estaba en una reunión socia
rodeada de personas que apenas conocí
En un rincón, notó a Diego, un viejo amig
del colegio con el que había perdid
contacto. Decidió acercarse y, en lugar d
iniciar la conversación con un simpl
"hola", optó por mencionar el viejo caf
cerca del colegio al que solían ir juntos.

"¿Te acuerdas de las tardes en 'Café Luna
escuchando música y compartiendo es
enormes postres?", preguntó.

Diego sonrió ampliamente. "¡Claro que sí! Eran los mejores momentos. ¿Te acuerdas de esa canción que siempre ponían y que terminamos amando?"

En minutos, estaban inmersos en una conversación llena de risas y recuerdos compartidos, reconectando en un nivel que superaba el simple reconocimiento.

La nostalgia tiene el poder de elevar nuestro ánimo, aumentar nuestro sentido de pertenencia y conectarnos con otros. Se ha demostrado que recordar tiempos pasados nos hace sentir más conectados, más optimistas sobre el futuro y con un sentido de continuidad en la vida.

Consejos:

- Utiliza referencias nostálgicas en una conversación, puedes crear un terreno común y una conexión inmediata.

- Comparte recuerdos de experiencias pasadas o menciona eventos o lugares comunes, puedes evocar sentimientos compartidos y abrir la puerta a conversaciones más profundas.

- Menciona música, películas programas de televisión populare de ciertas épocas, puedes genera un sentimiento de conexión comprensión mutua.

Práctica:

Si sabes que compartes cierta experiencias o recuerdos con alguien, n dudes en traerlos a la conversación Puedes comenzar con algo tan simpl como: "El otro día escuché esa canción d los 90 y me recordó a esos veranos qu pasábamos juntos". Estas referencia compartidas pueden ser el puente haci conversaciones más significativas profundas.

Truco 10: la Escasez

Desde las ventas en las tiendas hasta las oportunidades románticas, una cosa es constante: el deseo se intensifica cuando percibimos que algo es escaso o difícil de obtener. Este truco explora cómo el principio de escasez puede influir en las decisiones y emociones de las personas, y cómo se puede aplicar en la comunicación y relaciones interpersonales.

Valeria estaba decidida a ganarse la atención de Marco, un compañero de trabajo. Sabía que tenía muchos admiradores y que siempre estaba rodeado de gente, por lo que necesitaba una estrategia diferente. En lugar de estar siempre disponible para él, Valeria elegía cuidadosamente cuándo interactuar. Cuando coincidían en la máquina de café, en lugar de detenerse, a veces simplemente sonreía y seguía su camino. En las reuniones, no buscaba su atención de inmediato, pero cuando hablaba, sus palabras eran perspicaces y relevantes, dejándolo intrigado.

Un día, Marco se acercó a ella y le dijo "He notado que a diferencia de los demás no estás siempre buscando mi aprobación Eso me ha hecho pensar en ti de una manera diferente. ¿Te gustaría salir a cenar algún día?".

La escasez juega con el temo fundamental de perderse de algo valioso Cuando percibimos que algo es limitado automáticamente lo valoramos más. En la interacciones humanas, este principi significa que cuando alguien se percib como menos accesible o meno predecible, puede aumentar el interés y e deseo de los demás hacia esa persona.

Consejos:

- Aumenta el valor percibido, si t presentas como alguien con un agenda ocupada o con mucha demandas, puedes parecer má deseable.

- Crea urgencia, si das a entender qu tu tiempo es limitado o que t atención se dirige hacia otras cosa puede provocar que otros quiera asegurar tu interés.

Práctica:

La próxima vez que busques llamar la atención de alguien o hacer que una propuesta sea más atractiva, juega sutilmente con la técnica de la escasez. Sin embargo, es esencial que esta técnica se use con autenticidad. No se trata de jugar con los sentimientos de los demás, sino de presentarte como alguien que valora su tiempo y atención.

Truco 11: la Incertidumbre que Engancha

El reforzamiento intermitente es un principio de psicología que sugiere que las recompensas dadas de manera irregular y no predecible tienden a fomenta comportamientos más consistentes y persistentes. Es la razón por la cual la máquinas tragamonedas son tan adictivas la recompensa es incierta, pero siempre a alcance. En la dinámica interpersonal, este fenómeno puede ser utilizado par mantener la atención y el interés d alguien.

Lucía y Samuel habían comenzado a salir hace algunos meses. Mientras Samuel era constante en su afecto y siempre predecible, Lucía tenía un enfoque diferente. Un día, le enviaba mensajes tiernos y expresivos, mientras que al siguiente se mostraba distante y ensimismada en sus propios asuntos. Samuel, acostumbrado a relaciones más directas, se encontró intrigado y cada vez más atraído hacia Lucía. La incertidumbre de no saber cuándo recibiría afecto o atención de Lucía lo mantenía en constante anticipación y aumentaba su interés hacia ella.

Un día, Samuel confesó: "Nunca sé qué esperar contigo, pero eso me ha hecho darme cuenta de cuánto me importas y cuánto deseo estar a tu lado".

La naturaleza humana tiende a valorar lo que no puede tener fácilmente o lo que es incierto. El reforzamiento intermitente juega con esta naturaleza, al ofrecer recompensas o reconocimiento de forma irregular, lo que puede mantener a alguien constantemente involucrado e interesado.

Consejos:

- Mantén la chispa y el interés en un relación, evita caer en la monotonía.
- Gana influencia en conversaciones negociaciones, mantén a la otr parte en un estado de anticipación.

Práctica:

Prueba ser un poco menos predecible e tus interacciones. Esto no significa se voluble o jugar con los sentimientos d alguien, sino simplemente no ofrece siempre las mismas respuestas reacciones. Sorprende a las personas d vez en cuando, y observa cómo l dinámica cambia.

Truco 12: la Validación

Todos buscamos, en mayor o menor medida, la validación y aprobación de los demás. Esta búsqueda nos lleva a crear conexiones y a influir en nuestras decisiones. La validación recíproca se basa en el hecho de que, cuando alguien nos valida o aprueba, es más probable que validemos o aprobemos a esa persona a cambio, creando un vínculo más fuerte y profundo.

Elena trabajaba en una prestigiosa firma de diseño y a menudo se encontraba en reuniones con altos ejecutivos que intimidaban a la mayoría de sus colegas. Sin embargo, ella tenía un enfoque único. En lugar de competir por hablar y destacar, Elena se tomaba el tiempo para escuchar genuinamente y validaba las ideas de los demás, reconociendo su valor y contribución.

Durante una reunión en particular, ur ejecutivo, Diego, propuso una idea que fu recibida con escepticismo. Elena intervino destacando los puntos fuertes de l propuesta y sugiriendo maneras d mejorarla. Diego, agradecido por el apoyo empezó a validar y apoyar las ideas d Elena en reuniones posteriores.

Con el tiempo, se forjó una alianza entr ambos, basada en la validación mutua y e respeto. Esto no sólo benefició su carreras individuales sino también a l empresa en general.

La validación recíproca se basa en e principio de reciprocidad. Las persona tienden a responder de manera similar cómo se les trata. Cuando nos sentimo validados, es natural querer devolver es validación, creando un ciclo positivo d aprobación y aprecio mutuo.

Consejos:

Usa este truco para...

- Construir relaciones más fuertes significativas.
- Influenciar decisiones y ganar apoy en diferentes contextos.

- Crear un ambiente de respeto y aprecio mutuo.

Práctica:

En tu próxima interacción, presta especial atención a las palabras y acciones de la otra persona. Validar no significa siempre estar de acuerdo, sino reconocer y apreciar el valor de lo que se comparte. Al hacerlo, es probable que recibas validación a cambio, fortaleciendo la relación.

Truco 13: el Anclaje Emocional

El anclaje es un fenómeno por el cual se crea una asociación entre un estímulo emocional y una respuesta específica. Es como cuando escuchamos una canción que nos transporta a un momento específico de nuestro pasado, evocando emociones recuerdos asociados. En las interacciones humanas, el anclaje puede usarse para asociar emociones positivas (o negativas con una idea, un objeto o incluso una persona.

Marta siempre había tenido problemas para hablar en público. Sus nervios solía traicionarla, y el simple hecho de presentar un proyecto frente a sus compañeros la llenaba de ansiedad. Si embargo, todo cambió el día que conoció Alejandro, un coach en técnicas de comunicación.

En su primera sesión, Alejandro le pidió a Marta que cerrara los ojos y recordara un momento de su vida en el que se sintiera poderosa, confiada y feliz. Marta revivió un día en la playa con su familia, riendo y sintiéndose libre. Alejandro luego le pidió que apretara el puño cada vez que se sintiera así.

Después de repetir este ejercicio varias veces, Alejandro explicó que habían creado un "ancla emocional". Ahora, cada vez que Marta sintiera nerviosismo al hablar en público, simplemente tenía que apretar su puño para evocar esas emociones positivas y sentirse confiada nuevamente.

Meses después, Marta dio la presentación más importante de su carrera, y justo antes de subir al escenario, apretó su puño. La confianza y felicidad que sintió la acompañaron durante toda su exposición.

El anclaje funciona al aprovechar la capacidad del cerebro para crear conexiones entre estímulos y respuestas. Es un principio básico en la psicología del condicionamiento.

Consejos:

Usa este truco para...

- Reforzar emociones positivas y reducir el impacto de las negativas.
- Crear asociaciones favorables haci productos, ideas o personas.
- Mejorar la autoconfianza y l autoeficacia.

Práctica:

Identifica una emoción positiva que desee reforzar y un gesto o acción que pueda realizar fácilmente (como apretar el puñc tocar el lóbulo de la oreja, etc.). continuación, revive intensamente es emoción mientras realizas el gesto. Repit varias veces hasta que sientas l conexión. Luego, en situaciones dond necesites ese refuerzo emocional, realiz el gesto.

Truco 14: el Silencio Activo

En la cacofonía constante de nuestra sociedad actual, el silencio se ha vuelto subestimado y a menudo olvidado. Sin embargo, el silencio, cuando se usa correctamente, puede ser una herramienta potente en la comunicación y seducción. El Silencio Activo no se trata simplemente de no hablar, sino de estar plenamente presente y escuchar con todo tu ser, creando un espacio para que la otra persona se sienta valorada y comprendida.

Elena siempre fue alguien extrovertida, siempre tenía una historia que contar o una anécdota para compartir. En una reunión de amigos, conoció a Martín, un hombre tranquilo que parecía tener el don de escuchar. En lugar de intentar competir por la atención o interrumpir a Elena, simplemente se sentó y la escuchó, reaccionando con sutiles gestos y expresiones.

Al principio, Elena encontró e comportamiento de Martín desconcertante ¿Por qué no intervenía? ¿No tenía nad que decir? Pero a medida que la noch avanzaba, se dio cuenta de que, po primera vez en mucho tiempo, se sentí realmente escuchada. Martín, con s silencio activo, le había proporcionado u refugio donde sus palabras y emocione eran validadas.

Al final de la noche, Elena se sintió atraíd hacia Martín de una manera que no podí explicar. No era por lo que él había dicho sino por lo que no había dicho y cóm había escuchado.

El Silencio Activo demuestra empatí paciencia y una auténtica voluntad d comprender. Cuando escuchamo activamente sin interrumpir o intenta interponer nuestras propias opinione permitimos que la otra persona se explor y se exprese, fortaleciendo la conexió entre ambos.

Consejos:

Usa el silencio para...

- Crear un ambiente de confianza respeto.

- Permitir a la otra persona procesar y compartir sus pensamientos y sentimientos.
- Revelar información y matices que de otra manera podrían quedar ocultos en una conversación llena de interrupciones.

Práctica:

Durante tu próxima conversación, intenta conscientemente no interrumpir, y escucha activamente. Esto no significa que no debas reaccionar en absoluto, sino que tu reacción debe ser no verbal: asiente con la cabeza, muestra empatía con tus expresiones faciales, pero deja un espacio para que la otra persona complete sus pensamientos.

La magia del Silencio Activo radica en su capacidad de hacer que el hablante se sienta valioso. En un mundo donde todos quieren ser escuchados, ser alguien que verdaderamente escucha es un acto revolucionario de cariño y comprensión.

Truco 15: el Arte de l
Autenticidad

En una era dominada por las rede
sociales y las apariencias, la autenticida
se ha vuelto una joya rara per
extremadamente valiosa. Ser genuino e
nuestras interacciones no solo nos brind
una sensación de integridad
autorespeto, sino que también s
convierte en un imán poderoso para atrae
a las personas hacia nosotros. Aquella
personas que abrazan y muestran s
auténtico yo a menudo descubren un
conexión más profunda y significativa co
los demás.

Lucía siempre había sido una camaleon
social. Cambiaba su comportamient
intereses e incluso su forma de habl
dependiendo de con quién estuvier
Sentía que esta era la única manera de se
aceptada y querida. Sin embargo, esto
dejó sintiéndose vacía y desconectada.

Un día, durante unas vacaciones en solitario, conoció a Sofía, una mujer que irradiaba confianza y paz interior. A diferencia de Lucía, Sofía era abierta sobre sus defectos, reía de sus propias peculiaridades y mostraba sus verdaderas emociones sin miedo al juicio. Intrigada por esta actitud tan liberadora, Lucía decidió pasar más tiempo con Sofía durante ese viaje.

A medida que las horas se convertían en días, Lucía se dio cuenta de que, a pesar de sus imperfecciones (o quizás debido a ellas), Sofía atraía a la gente hacia ella. Las personas se sentían cómodas, relajadas y atraídas por esa autenticidad palpable.

Inspirada, Lucía decidió dejar de esconderse detrás de máscaras sociales. Empezó a abrazar y mostrar su verdadero yo, con sus virtudes y defectos. Aunque al principio fue un desafío, eventualmente encontró que las conexiones que establecía eran más profundas y genuinas.

La autenticidad nos conecta a un nive humano fundamental. Cuando mostramo nuestra verdadera esencia, invitamos otros a hacer lo mismo, estableciend lazos basados en la realidad en lugar d percepciones fabricadas.

Consejos:

Usa la autenticidad para…

- Construir confianza rápidamente mostrando que no tienes nada qu ocultar.
- Fomentar conexiones genuina basadas en la realidad y no e percepciones.
- Destacarte en un mundo dond muchos se esconden detrás d máscaras.

Práctica:
La próxima vez que te encuentres en un situación social, en lugar de ajustar t comportamiento para adaptarte a lo qu crees que los demás quieren, toma u momento para conectarte contigo mism Responde preguntas y compart pensamientos desde un lugar d sinceridad. Si sientes nervios o temor juicio, recuerda que la vulnerabilidad es puerta a conexiones verdaderas.

Ser auténtico es un acto de valentía en un mundo que a menudo premia la conformidad. Sin embargo, es esta autenticidad la que nos permite establecer conexiones que trascienden lo superficial, brindándonos relaciones más ricas y significativas.

Truco 16: La Sonrisa Selectiva

En un mundo donde las sonrisa automáticas y los gestos vacíos se ha convertido en la norma, la capacidad d usar una sonrisa de manera selectiva s convierte en una herramienta poderosa Una sonrisa no debe ser entregada cualquiera ni en cualquier momento, sin que debe ser presentada como un recompensa preciosa, otorgada solo en lo momentos apropiados.

Alejandro era un hombre que rara ve sonreía. No porque fuera antipático infeliz, sino porque entendía el poder qu residía en su sonrisa. Durante una cena d trabajo, todos se esforzaban pc impresionar y captar la atención del jef sonriendo y riendo ante cualquie comentario. Alejandro, sin embargo, s mantuvo sereno, escuchando atentament y haciendo preguntas pertinentes.

Al final de la noche, mientras todos se despedían, el jefe hizo un chiste y todos rieron cortésmente. Pero fue la sonrisa genuina y sincera de Alejandro, la única que se destacó en ese momento, la que realmente capturó la atención del jefe. Era evidente que no era una sonrisa de obligación, sino una respuesta honesta al humor del momento. Esa simple sonrisa logró más impacto que todas las risas forzadas de la noche.

La sonrisa, cuando se usa correctamente, se convierte en un signo de aprobación genuina. Al no regalarla a cada momento, se aumenta su valor y se convierte en una señal clara de interés y conexión.

Consejos:

- Establecer estándares claros en tus interacciones.
- Crear una sensación de recompensa genuina para quien recibe la sonrisa.
- Aumentar la percepción de valor propio al no regalar reacciones.
- Fomentar la autenticidad y conexiones más profundas.

Práctica:

Presta atención a tus interacciones diarias ¿Sonríes por cortesía o porque algo te hace genuinamente feliz? Practica la retención de tu sonrisa en situaciones donde normalmente podrías sonreír por obligación. En su lugar, encuentra momentos auténticos para compartir esa sonrisa, y observa cómo cambia la dinámica de tus interacciones.

Una sonrisa, cuando se entrega con intención y autenticidad, es uno de los regalos más valiosos que podemos dar. A utilizar la Sonrisa Selectiva, no solo elevamos nuestro propio valor, sino que también enriquecemos nuestra conexiones con otros, creand interacciones más significativas memorables.

Truco 17: La Mirada Magnetizante

Los ojos, a menudo descritos como las ventanas del alma, son herramientas poderosas en la comunicación humana. Una mirada puede transmitir más que mil palabras. Sin embargo, saber cómo y cuándo sostener la mirada de alguien puede ser la clave para establecer una conexión profunda y magnética.

Lucía estaba en una galería de arte, absorta en la contemplación de una pintura. Mientras se sumergía en los detalles, sintió una presencia a su lado. Al girarse, encontró a Gabriel, un desconocido, que también estaba admirando la obra. En lugar de desviar la mirada rápidamente, como es la reacción instintiva de muchos, Gabriel sostuvo su mirada durante unos segundos, transmitiendo una curiosidad genuina. En ese breve momento, Lucía sintió una conexión inmediata, como si hubiera compartido un secreto sin palabras con él.

Una mirada sostenida, cuando se realiza correctamente, puede crear un puente emocional entre dos personas. Le dice a la otra persona que estás presente, que estás realmente viéndola y que estás interesado en conectar a un nivel más profundo.

Consejos:

Usa la Mirada Magnetizante para...

- Establecer una conexión inmediata con alguien.
- Mostrar interés y atención genuinos.
- Aumentar la intensidad y profundidad de una conversación.
- Reflejar confianza y seguridad en uno mismo.

Práctica:

Durante tus interacciones diarias, practica sostener la mirada de las personas un poco más de lo que normalmente lo harías. No se trata de una mirada penetrante o desafiante, sino de una mirada curiosa y abierta. Observa cómo cambia la dinámica de la conversación y cómo las personas a menudo se sienten más valoradas y escuchadas.

La mirada es una de las formas de comunicación más puras y poderosas que tenemos. Al aprender a usarla con intención, podemos abrir puertas a conexiones más profundas y significativas, mostrando a los demás que estamos verdaderamente presentes y deseosos de conocerlos en su esencia.

El destino

Hemos recorrido un camino intenso
revelador juntos. Estos trucos, basados e
la evidencia científica de la psicología y e
comportamiento humano, so
herramientas poderosas que, si se utiliza
con responsabilidad, pueden transforma
la manera en que interactuamos con e
mundo y con quienes nos rodean.

Al comenzar este libro, compartí contig
un episodio personal de manipulación. M
esperanza es que, al proporcionarte esta
herramientas, puedas navegar por e
mundo con un mayor sentido d
empoderamiento y discernimiento.

Estos trucos no son juguetes; so
herramientas poderosas que puede
cambiar vidas y relaciones. Con gra
poder viene una gran responsabilidad
Utilízalos con cuidado, siempre con
intención de crear relaciones auténticas
saludables, y no para manipular o dañar
los demás.

Aunque estos trucos pueden ser utilizados para seducir y conquistar, su verdadero valor radica en su capacidad para forjar conexiones profundas y significativas. La autenticidad es la clave para construir relaciones duraderas.

Como con cualquier habilidad, dominar estos trucos requiere práctica y reflexión. La automejora es un viaje sin fin. Te animo a que sigas practicando, experimentando y aprendiendo.

A medida que desarrolles tus habilidades en estas áreas, encontrarás que el equilibrio entre poder y humildad es crucial. Ser poderoso no significa ser arrogante. Es más bien la capacidad de influir positivamente en los demás mientras se mantiene una postura de humildad y respeto.

En última instancia, este libro se trata de libertad y empoderamiento. De liberarte de las cadenas de la manipulación y de dotarte del poder de forjar relaciones significativas y enriquecedoras. A medida que avanzas en tu viaje, recuerda siempre utilizar estas herramientas con integridad y amor. Porque, después de todo, el objetivo final no es simplemente seducir sino conectar, comprender y, en última instancia, amar.

Frases para ligar

Me dijeron que este lugar tiene el mejor [café/tequila/pastel]. ¿Qué opinas?
He estado buscando un buen libro. ¿Qué estás leyendo ahora?
¡Esa es una elección interesante de [bebida/comida]! ¿Qué te llevó a pedirla?
He oído a la gente hablar de [tema reciente/popular]. ¿Cuál es tu opinión al respecto?
Estoy tratando de desconectar del trabajo y escuchar más música. ¿Tienes alguna recomendación?
He notado que tienes una forma particular de [hacer algo, por ejemplo, "preparar tu café"]. ¿Hay alguna historia detrás?
Siempre he querido aprender sobre [algo que la persona esté haciendo/hablando]. ¿Tienes algún consejo?
Estoy buscando un nuevo hobby. ¿Cómo te metiste en [actividad que la persona está haciendo]?
He estado buscando un buen lugar para [comer/caminar/escuchar música]. ¿Tienes alguna sugerencia?
He estado siguiendo el [evento/deporte/serie] recientemente. ¿Qué piensas sobre [tema relevante]?

Tu [accesorio/ropa] me llamó la atención
¿Dónde lo conseguiste?
Estoy pensando en tomar una clase de
[tema/actividad]. ¿Tienes experiencia en
eso?
¿Conoces algún lugar tranquilo por aqu
para trabajar/leer?
He estado tratando de encontrar un buen
podcast sobre [tema]. ¿Conoces alguno?
Esa es una perspectiva interesante. ¿Cóm
llegaste a esa conclusión?
Tu [gadget/herramienta/libro] parec
realmente útil. ¿Te ha ayudado?
Tengo un debate amistoso con un coleg
sobre [tema ligero]. ¿Qué opinas?
¿Has probado el [plato/bebida] de aquí
Me han dicho que es bueno, pero m
gustaría una segunda opinión.
Si pudieras aprender una habilidad nuev
de la noche a la mañana, ¿cuál sería?
Estoy tratando de expandir mi horizont
cultural. ¿Tienes una película/libro/cancio
para recomendarme?
¡Qué [zapatos/reloj/bolso] tan únicos
¿Hay una historia detrás de ellos?
Soy nuevo en la ciudad. ¿Qué es lo qu
absolutamente no debería perderme?
He estado buscando una buena app pa
[actividad]. ¿Usas alguna?
Estoy pensando en visitar [destino c
viaje]. ¿Has estado allí?

Siempre encuentro fascinante cómo cada persona tiene un podcast favorito diferente. ¿Cuál es el tuyo?
Siempre he sido curioso sobre [algo que la persona esté haciendo]. ¿Cómo te iniciaste?
Estoy buscando inspiración. ¿Cuál ha sido tu mayor aventura?
¿Has notado cómo este lugar tiene un diseño/vibe particular? Me recuerda a...
Si tuvieras que recomendar un solo lugar en la ciudad para visitar, ¿cuál sería?
Estuve leyendo sobre [tema reciente]. Me encantaría conocer tu punto de vista.
No puedo decidir qué pedir. ¿Tienes alguna recomendación?
Me llamó la atención tu [gadget/libro/accesorio]. ¿Qué te parece?
Estuve escuchando sobre [evento cultural reciente]. ¿Tuviste la oportunidad de verlo/oirlo/visitarlo?
Me sorprende la variedad de [plantas/comidas/bebidas] que tienen aquí. ¿Has probado [x]?
Estoy en una misión para descubrir nuevos artistas/bandas. ¿Qué estás escuchando últimamente?
Estoy planeando mi próximo viaje. ¿Hay algún lugar que consideres imprescindible?
He notado que [algo peculiar del lugar]. ¿Qué piensas al respecto?

¿Has probado los eventos/talleres/clases de [lugar/tema]? Me interesa, pero me gustaría una opinión.
Siempre me ha intrigado [hobby/actividad]. ¿Tienes algún consejo para alguien que quiere empezar?
¿Qué es lo que más te ha sorprendido en los últimos días/semanas?
Estoy buscando un buen libro sobre [tema]. ¿Has leído algo recientemente que te haya impactado?
Estuve pensando en probar [actividad como yoga, meditación, senderismo] ¿Qué opinas?
Si pudieras cenar con cualquier persona viva o muerta, ¿quién sería?
Siempre me ha fascinado [tema/hobby] ¿Tienes experiencia en ello?
Últimamente me he sumergido en documentales. ¿Hay alguno que me recomendarías?
Estoy pensando en aprender un nuevo idioma. ¿Hablas otros idiomas?
Si tuvieras que describir tu día ideal ¿cómo sería?
He oído que esta ciudad tiene excelentes [tipo de lugar, como parques, museos cafeterías]. ¿Conoces alguno?
¿Has asistido a algún evento/conferencia/taller interesante recientemente?

Estoy en busca de un nuevo desafío. ¿Qué es lo más desafiante que has hecho?
Si tuvieras que elegir una comida/bebida para el resto de tu vida, ¿cuál sería?
Me he propuesto mejorar en [habilidad]. ¿Tienes algún recurso o consejo?
He estado experimentando con recetas de cocina. ¿Tienes alguna favorita?
Si pudieras vivir en cualquier época de la historia, ¿cuál elegirías?
¿Conoces alguna exposición/galería/obra de teatro en la ciudad que valga la pena?
Estoy considerando un cambio en mi carrera. ¿Qué te llevó a tu profesión actual?
Si tuvieras un día libre y sin obligaciones, ¿cómo lo pasarías?
Estoy buscando voluntariado. ¿Has trabajado con alguna organización que recomendarías?
He decidido aventurarme en [nuevo hobby/actividad]. ¿Has intentado algo similar?
He estado reflexionando sobre [tema profundo, como el minimalismo, la sostenibilidad]. ¿Has tenido pensamientos al respecto?
Me llamó la atención la forma en que [algo que la persona hizo/habló]. ¿Puedes decirme más sobre ello?

Últimamente me he sentido atraído por e mundo del [tema, como arte, música cine]. ¿Tienes alguna introducción consejo?

Estuve considerando unirme a u club/grupo de [actividad]. ¿Tiene experiencia en eso?

¿Hay alguna tradición/cultura/evento loca que sientas que debería experimentar?

Siempre he sido curioso sobre cómo l gente define el éxito. ¿Qué significa par ti?

Me he propuesto aprender más sobr [tema, como vinos, arte, historia]. ¿Tiene un punto de partida?

He notado que tienes una energía/actitu muy [positiva/calmada/entusiasta]. ¿Cu es tu secreto?

Estuve pensando en adoptar una mascot ¿Tienes alguna experiencia con [tipo d animal]?

¿Hay algún evento/acontecimient próximo que te emocione particularmente

Si pudieras darle un consejo a tu yo m joven, ¿cuál sería?

Me estoy aventurando en el mundo d [tema, como jardinería, escritur fotografía]. ¿Has explorado eso?

Estoy considerando hacer un curso d [tema]. ¿Sabes de alguno bueno?

He oído hablar de [evento local, como festival o feria]. ¿Has ido alguna vez?

Estoy buscando un lugar tranquilo y agradable para pasar el rato. ¿Tienes alguna sugerencia?
¿Hay algo que hayas aprendido recientemente que te haya sorprendido o impactado?
Si pudieras tener una habilidad superhumana, ¿cuál sería?
Estoy intentando ampliar mi horizonte literario. ¿Qué género o autor me recomendarías?
Me gustaría conocer más sobre la cultura local. ¿Dónde debería empezar?
¿Has probado alguna actividad/experiencia que nunca pensaste que harías, pero terminaste amando?
Si tuvieras que recomendarme una experiencia única en esta ciudad, ¿cuál sería?
Estoy en una misión para descubrir cafés/bares ocultos. ¿Conoces alguno?
He decidido tomar un enfoque más consciente y sostenible en mi vida. ¿Tienes consejos o recursos?
Estoy buscando una buena serie/película que me haga pensar. ¿Qué me sugieres?
Me siento atraído por la idea de aprender un instrumento. ¿Tocas alguno?
Me encantaría conocer más sobre [tema cultural, como danza, arte, música]. ¿Tienes experiencia o consejos?

Estuve viendo un documental sobre [tema como viajes, naturaleza, historia]. ¿Has visto algo interesante últimamente?
Estoy en un proceso de autodescubrimiento. ¿Hay alguna práctica o hábito que te haya ayudado en tu propio viaje?
Me llamó la atención esa [revista/libro/artículo] que estás leyendo. ¿Qué opinas sobre ello?
Estoy buscando inspiración para [proyecto/hobby]. ¿Tienes alguna idea o fuente que me recomendarías?
Siempre he querido aprender más sobre [arte/cultura/gastronomía]. ¿Has explorado ese mundo?
Estoy considerando unirse a un grupo de [deporte/yoga/meditación]. ¿Tienes alguna experiencia que puedas compartir?
Me gustaría embarcarme en una nueva aventura. ¿Has tenido alguna experiencia que transformara tu vida?
Estoy intentando reducir mi huella de carbono. ¿Tienes algún consejo sobre cómo vivir de manera más sostenible?
Me intriga el mundo del [tema, como la astrología, la historia, la ciencia]. ¿Tienes algún recurso o libro para empezar?
He decidido desafiarme y probar [actividad nueva]. ¿Has hecho algo recientemente que te sacó de tu zona de confort?

Me ha fascinado la idea de [tema, como el minimalismo, viajar con un presupuesto, aprender a cocinar]. ¿Has explorado eso?
Estoy buscando expandir mi círculo social. ¿Conoces algún grupo o evento donde la gente comparte [interés común]?
He estado considerando donar mi tiempo para [causa]. ¿Conoces alguna organización que necesite voluntarios?
Estoy tratando de ampliar mis horizontes en [arte, música, teatro]. ¿Hay algún lugar o evento que debería visitar?
He decidido hacer un cambio en mi vida y [acción, como "viajar más", "leer más", "hacer más ejercicio"]. ¿Tienes algún consejo o recurso que pueda ayudarme?

Estas frases están diseñadas para ser abiertas y genuinas, con el propósito de iniciar una conversación auténtica y establecer una conexión real con la otra persona.

¿Te ha gustado este libro? No olvides unirte a la comunidad, es gratis y te servirá para conseguir ventajas como productos o servicios exclusivos, descuentos temporales y novedades sorprendentes.

La encuentras en Telegram: buscando todoporlalibertad, haciendo clic aquí o con el siguiente QR:

¿Quieres apoyar este proyecto? Deja una reseña honesta donde hayas conseguido este ejemplar. Recomiéndaselo a quienes piensas que les puede servir.

Milton Keynes UK
Ingram Content Group UK Ltd.
UKHW020936231123
433129UK00016B/711